転生、沖田総司
Tensei, Okita Souji
—新選組異聞録—
著——日之影ソラ
絵——コダケ

レーナ
地方出身の少女。
思い描いた剣を作れる
術式を持つ。
リクル・ビクセン
（沖田総司）
ビクセン男爵家の次男。
術式がないため
馬鹿にされている。

CHARACTER
キャラクター紹介
アトリ・ビクセン
リクルの兄。
風を操る
術式を持つ。
グレン・ストライダー
貴族。
騎士団に所属する
団長のひとり。

「……女の子？」

「――チッ、受けやがったな！」

「お前は……」

「この感じ、懐かしいじゃねぇかよ」

CONTENTS

転生、沖田総司
―新選組異聞録―

日之影ソラ

Jノベルライト文庫

〔イラスト〕 コダケ

プロローグ　転生、沖田総司

武士にとっての死とは何か？

刀が握れなくなった時か？

主君を守れなかった時か？

武士を名乗れなくなった時か？

全て、否である。

武士にとっての死とは、その志を失ってしまった時である。武士とは何か。その答えを知る者こそが真の武士となり、誰もが追い求めるものでもあった。

慶応《けいおう》四年。

幕末の時代。鳥羽《とば》・伏見《ふしみ》の戦いを発端とし、戊辰《ぼしん》戦争が始まった頃。一人の武士は床に臥《ふ》せていた。

「ごほっ、ぅ……はぁ……」

労咳《ろうがい》、現代でいう肺結核の病は、この時代では治療法も確立されておらず、多くの人々を苦しめる難病の一つだった。

その脅威は、かつて幕末の世に名を轟かせた大剣豪でさえ、抗えないほどの苦痛と後悔を与えていた。

「はぁ……っ、もう……」

身体は満足に動かず、一日中を床の上で過ごすようになり、半年が経過しようとしている。一日中、意識が戻らぬ日も多くなっていた。

元幕府専属医である松本良順《まつもとりょうじゅん》の治療を受けながら療養していたが、そろそろ身体が限界であることは、彼自身が一番理解していた。

「近藤《こんどう》さん……土方《ひじかた》さん、一君《はじめ》……永倉《ながくら》さん……左之《さの》さん……源《げん》さん」

朦朧《もうろう》とする意識の中で、彼は共に戦った同志の名を口にする。今もなお、戦場にて戦い続けている仲間たち。そして……。

「平助《へいすけ》、山南《やまなみ》さん……」

先に散ってしまった盟友たちのためにも、彼は生き続けなければならなかった。

生きて、仲間たちを守りたい。

もう誰も、誰一人として大切な仲間を、家族のように思っていた人たちを失いたくない。だから早く病気を治して、戦場に戻らなければ……。

だが、その願いは叶わない。

もっとも敬愛していた元新選組《しんせんぐみ》局長、近藤勇《いさみ》は三十五歳の時に板橋刑場《いたばしけいじょう》で斬首され、散った。この事実を彼は知らない。

知らぬまま、必ず戻って力になると、近藤と生前に交わした約束を胸に抱き、涙を流していた。

彼は近藤の死を知らない。聞かされていない。けれど、感覚でわかってしまうのだ。戦乱の世で、近藤の、彼らの命が決して長くはないことが。

「ごめんなさい……近藤さん……みんな……」

自分がもっと強ければ、病などに負けぬほど強靱な身体を持っていれば、今も共に戦い、仲間たちを救えたかもしれない。

すでに散っていった仲間たちのそばに自分がいれば、彼らの代わりに戦うことができたかもしれない。

死に際、彼の脳裏には後悔ばかりが過《よぎ》っていた。どれほど卓越した剣の才能を持っていても、目に見えない病は斬れない。

病の前で、剣はあまりにも無力だった。それでも彼は、再び剣を握るために起き上がろうとする。

「行かなきゃ……みんなの……ところへ」

自分にできることは、剣を振るうことだけだと理解していた。剣だけが、己の存在を証明する。

彼にとって剣は半身であり、生きるための意味を背負う存在だった。しかし、弱ってしまった彼の手は、飾られた愛刀に届かない。

「ごほっ……僕は……」

血を吐き、意識が沈んでいく。彼の願いはたった一つ。仲間と共に生き、仲間と共に散ること。それだけだった。

慶応四年五月三十日。

元新選組一番隊組長、沖田総司《おきたそうじ》——病死。

享年二十七歳。

幕末最強を謳われた天才剣士は戦場ではなく、床の上で短い生涯を終えた。

その最期は、後悔に満ちていた。

◇◇◇

真っ暗な世界に一つの魂が彷徨《さまよ》う。

ここはどこだろう？

黄泉《よみ》の国というのは本当に存在しているのかもしれない。息苦しくないし、痛みも感じない。それどころか、何も感じない。

当然のことだ。身体がないのだから。

（ここは……）

それでも意識はハッキリとしていた。真っ暗な世界にただ何もなく漂い続けている自分がいる。ここが黄泉の国なら、どこまで残酷なのだろう。

（僕は死んでも……みんなに会えないんだね）

先に散っていった仲間たちに会いたい。一人は寂しい。今も、生きている彼らは戦い続けているのだろうか。

不甲斐なくて涙が出そうで、けれどこんな世界じゃ涙なんて流れもしない。余計に悲しくなってしまう。

そんな時、自分以外の光を見つけた。僕は吸い寄せられるように漂い、近づいていく。すると、声が聞こえた。

「もういいんだ」

(誰かの声?)

僕は目を凝らす。光は見えているのだから、よーく見ればわかるかもしれない。

光の中心に誰かが立っている。

見知らぬ光景と共に、女性のような美しさをもち、どこか自分に似た弱々しさを感じさせる少年がいた。

「おい役立たず! なんでまだこの屋敷にいるんだよ!」

「――に、兄さん」

「役立たずがうつっちまうだろうが! どっかいっちまえよ!」

「っ……」

兄らしき年上の少年に酷いことを言われ、涙目になってしまう少年。そこを通りかかったのは少年の父親だろうか。

兄弟喧嘩にしては行きすぎている言動だ。少年は父親に助けを求めるように、涙目で視線を送る。

だが、少年の父親はこれを無視した。

「何をしている？　行くぞ」

「はい！　父上！」

少年を放置し、彼のことを馬鹿にしていた兄だけを連れて、父親らしき人物は歩き去ってしまう。

ぽつりと残された少年は、涙を流して床を濡らしていた。他にも人間の姿があり、彼の左右を通り過ぎる。

泣いている少年がいるのに、誰一人として声をかけない。まるで、そこに誰もいないかのように無視をし続けていた。

（ひどい……）

事情はわからないけど、これは間違いなく虐待の光景だ。子供を無視し、放置して、悲しんでいる姿がすぐそばにあるのに、大人たちは何も思わないのだろうか。

それから、少年の生活を観察した。どうやら少年は、僕のように身体が弱く、周囲が求めるような才能を持って生まれなかったらしい。

それを理由に肉親からも拒絶され、家の中で冷遇されていた。

食事は用意されず、家の中でぽつりと一人きり。たくさん人が行きかう中で、彼のことを気遣う人間は一人もいなかった。

彼は孤独に耐えながらも、家の外で一人、剣を握り振るっていた。

「強くならなきゃ……そうすればきっと……」

(すごいな、君は……)

身体が弱く、満足に剣を振るうこともできないのに、それでもめげずに毎日、欠かすことなく剣を振るう訓練をしていた。

自分の弱さを克服して、いつの日か、両親や兄弟に認めてもらうために。懸命な努力をしていた。けれど、努力が必ず報われるわけではなかった。

彼が生まれ持った身体の弱さは、どれほど努力しても解消されなかった。ちょっと走っただけで息切れを起こし、苦しさに倒れ込む。

剣を握り振るっても、三回ほどで力が入らなくなってしまう。異常なまでの虚弱体質は、それ単体が病であると思えるほどだった。

彼を見ながら、僕は自分のことを思い出していた。

病気にかかり、それまで当たり前のようにできていたことが一つずつ苦しくなって、剣も握れなくなって……。

元々身体が弱かったことも含めて、僕は彼に近い何かを感じ取っていた。いつしか僕は、彼に自分を重ねてみるようになる。

そして――

「もう……いいんだ。疲れたよ」

ついに辛すぎる日々に限界がきてしまった彼は一人、家を飛び出していた。向かった先には崖がある。

少年の身体で飛び込めば、十分に命を失えるだけの場所に、彼は立っていた。立ってしまった。

（駄目だよ。自分で自分を終わらせるようなことをしたら！）

僕は少年に向けて叫んだ。けれど、僕の声は聞こえない。少年の心はすでに壊れ、目から光が消えていた。

無理もないだろう。この世に生まれて数年足らずで、彼は絶望を嫌というほど味わってしまった。孤独であることが当たり前で、愛されないことが普通で、努力は無駄に終わってしまうものだと理解させられた。

もしも、僕が彼とまったく同じ境遇だったとしたら、耐えられただろうか。きっと、今の僕なら耐えられる。

大切な仲間たちとの出会いを経て、独りぼっちだった僕を救ってくれた人たちがいたから。けれど彼には誰もいない。

両親も、兄妹も、そばにいる人たちでさえ、彼を見ていなかった。

耐えられるものか。人生に、世界に、絶望してしまうだろう。

「うぅ……なんで、なんで僕はこんなに弱いんだよ……」

(……)

少年は涙を流す。死ぬのが怖いのではないだろう。きっと、何もできない自分の無力さに涙を流している。

もっと自分が強ければよかった。弱い身体に生まれなければ、こんなにも惨めな思いはしなくてすんだのに……。

(わかるよ。その気持ちは……)

嫌というほど理解できてしまう。僕も同じだった。境遇は違うけど、自分の弱さを呪い続けた。

もっと自分が強ければ、仲間たちを守ることができたのに。離れ離れにならず、戦場で共に戦い、一緒に死ぬことができたのに……と。

「僕が悪かったのかな？　僕じゃなかったら乗り越えられたのかな？」

（そんなことない。君はよく頑張っていたよ）

「神さま……もしもいるなら、この願いを叶えてください」

少年は一歩を踏み出す。それは勇気ではなく、諦めだった。命を自らの意思で投げ出すことに、彼は迷わなかった。

「僕にはできなかったけど、誰でもいいです。僕の代わりに……強くなってください。こんな僕でも強くなれるって……教えてください」

身体はふわりと浮かび、落下していく。彼は眼を瞑《つむ》り、死を受け入れてしまった。

僕は手を伸ばす。名前も知らぬ少年に。

（僕がいる！　僕には君の気持ちがわかる！　だから一緒に――）

強くなろう！

その叫びは聞こえぬまま、少年の身体は地面に打ち付けられた。こうして僕より幼い少年は、人生に絶望して旅立った。

（……）

僕の魂から、涙のような雫《しずく》が零《こぼ》れ落ちる。その雫はゆっくりと落ちて、無残な姿になった少年に届いた。

どうかお願いします。

僕の代わりに、強くなれると証明してください。

少年の声が聞こえてくる。僕は応える。

(君が望むなら、僕がそれを示してみせるよ。弱い自分に負けない強さを、僕が見せてあげるから)

言葉と、想い。

二つが重なり、共鳴し合うことで、僕たちは交代する。

◇◇◇

痛い。冷たい。

どうして痛みを感じるのだろうか?

僕はとっくに死んでいて、身体はとうに朽ち果ててしまった。感覚を知る身体は存在しない。魂だけのはずなのに。

重さを感じる。ずっしりと、瞳を閉じたままなのに、手足があることがわかる。

僕は恐る恐る、閉じていた瞳を開いた。

「ここは……」

目の前には木々があり、僕は湖の畔《ほとり》に倒れていた。身体が濡れている。雨が降っているからそのせいかと思った。

僕は何気なく、湖の水面へと視線を向ける。そうして理解する。

「そういう……ことなのかな？」

水面に映っていたのは僕の姿ではなく、僕によく似た少年の姿だった。この身体は少年のものだ。

手足が痛くて、身体が重いのは、彼がもつ虚弱体質も関係しているだろう。ずぶ濡れなのも雨の影響じゃない。

視線を少しだけ上に上げてみた。湖の奥に崖がある。おそらく僕は、いいや、彼はあそこから飛び降りたのだろう。

崖の下にあった湖の水が、大雨の影響で水嵩《みずかさ》を増し、少年の身体をすくいあげて、湖の畔まで運んだのだと思う。

どうして少年ではなく、僕の意識が目覚めたのか？

理由は、この身体に宿っている少年の魂の残骸が、記憶の全てが教えてくれる。

この世界の事情、少年が知らずに持っていた一つの力。

少年は最期に、自分の代わりに強くなってほしいと願った。誰かに願ったわけではない。それでも、僕の魂には届いていた。

僕と少年の魂は共鳴を起こし、遠い場所にいた僕を、この世界にまで引き寄せて、空っぽになった少年の身体に宿った。

そう、僕を呼んでくれた少年の魂は、もうここにはない。

僕は自分の体となった胸に手を当てる。

「そうか。そうなんだね」

ここにあるのは僕の魂と、少年が残してくれた力、記憶、魂の一部だけだ。彼は旅立ってしまった。

おそらく、僕が漂っていた何もない世界へと。

この先の未来を、僕に託して。

「……ははは、本当にそっくりだね、君と僕は」

この身体を貰ったことで、僕が知らなかった彼のことを知ることができる。今、こうして胸に手を当てることで、彼の思いと一緒に記憶が流れ込んでくる。

この世界は、僕が知っている世界とは全く違った進化を遂げている。どうやらここには、魔術と呼ばれる特別な力があるらしい。

妖術に近いものだろうか。

その才能は、生まれながらにほとんどが決定してしまうものだった。曰く、この身体の持ち主は、才能に恵まれなかった。

貴族という地位ある立場に生まれ、期待されたにもかかわらず、彼は術式を持っていなかったらしい。

今の僕には他人事でしかなくて、その重要性が理解できない。けれど、徐々にわかってくる。

彼の記憶の中では、術式を持たなかったことをひどく責められていた。両親からも、兄からも罵声《ばせい》を浴びていた。

彼らにとって、この世界にとって、術式の有無はとても重要なことらしい。だけど、それを理解した上でもわからない。

たかがその程度のことで、実の息子を、弟を煙たがり、いないものとして扱っていいわけじゃないんだ。

「家族なら……もっと助け合うべきじゃないのか？　兄なら弟を守ってあげなくち

ゃいけないだろ?」

僕に兄妹はいなかったけど、頼れる兄のような存在や、やんちゃで手がかかるけど可愛い弟みたいな仲間はいてくれた。

みんなと一緒に育ち、生きてきたから、家族という繋がりの大切さはよく知っているつもりだ。

出自や才能で、家族の絆まで失ってしまったら、人と人との間に繋がりなんて一つも残らない。

それなのに……。

「ああ、そうか。君はずっと地獄にいたんだね」

似ているなんて言ってごめん。

君に比べたら、僕の人生はなんて恵まれていたのだろうか。大切な人たちに出会うことができて、共に笑い、共に泣き、背中を合わせて戦うことができた。

幸せだった。だからこそ、失うのが怖かった。

君は違う。繋がりは何もなかった。最初から孤独だったから、寂しさすらも薄れていった。

孤独でい続けたからこそ、最期の瞬間まで、君は死を恐れてはいなかった。むしろようやく解放されるとすら思っていたんだね。

そうして君は、名も、顔も知らない僕なんかに、自分の未来を明け渡した。だったら僕は、どうすればいい？

こうして生まれ変わった。僕は僕じゃない。新しい存在として、これから彼として生きていくのか？

そうすることが本当に正しいのか？

彼の望みなのだろうか？

「僕は……」

その時、どこかで爆発するような音が響いた。さらに聞こえてくるのは、女の人の叫び声だ。

新選組として活動している中で、何度も聞いたことのある悲鳴。誰かが襲われていると悟った僕は立ち上がる。

ほとんど条件反射に近かった。悲鳴が聞こえて、何かが起こっていると気づいた時、身体は無意識に動き出していた。

——動けるんだ。

嬉しさに身体が震えだす。

立ち上がり、走ることができる。虚弱体質だから、すぐに呼吸は苦しくなるし、落下の負傷で全身が痛い。

痛いけど、動ける。自分の感覚で、自分の手足で。

そのことがとにかく嬉しかった。人生の終盤、労咳になってからは、一日のほとんどを床の上で過ごし、立ち上がることさえできなかった。

もう一度立ち上がることすら諦めていた。そんな僕が今、走っているんだ。

「ははっ」

笑いがこみ上げてくる。彼の死を目の当たりにして、この状況だって完全には飲み込めていないのに。

自由に駆けることができる感覚に、ただただ浸っていたかった。

「――――!」

けれど、眼前の状況を見て笑顔は消える。そこには小さな村があった。雨が降っているのに、炎が上がっている。

真っ赤だ。

かつて何度も見てきた血の色が、地面を色づけている。

「ひゃっはー！　女と子供は生かして捕らえろ！　男と老人は必要ねぇ！　皆殺しにしちまえ！」

「よっしゃきた。さっさと殺して楽しもうぜ」

「これは……」

賊による村の襲撃。

すでに多くの血が流れ、我が物顔で物騒なものを持った男たちが村を徘徊している。村の端には死体の山が積み上がっていた。

男たちばかりだ。ピクリとも動かない。これまで嫌というほど見てきた。あれはもう……死体だけだ。

女性と子供が一か所に集められている。流れる涙も雨に隠れて、声すらも恐怖で出すことが許されない。

「この世界にもいるんだね」

私利私欲のために武器をとり、罪もなく、戦う意思すらなかったであろう人たちを無慈悲に殺す悪党が。

もしもこの場に土方さんがいたら、とっくに抜刀して賊たちを皆殺しにしているに違いない。あの人は半端なことが嫌いだから。

それに続いてみんなも刀を抜いて、一緒に戦っていただろう。けれど、この場にいるのは僕だけだ。

この身体は僕のものじゃない。僕はもう……沖田総司じゃない？

「ん？　おい、まだガキが残ってるじゃねーか」

「おかしいな。もうとっくに集めたはずだけど……つかこいつの格好、この村の人間じゃねーだろ？」

「お、ってことはあれか？　この辺にあるビクセン家の子供じゃねーの？」

「こいつは上玉じゃねーか！　ガキを捕まえろ。ビクセン家との交渉材料にして、たんまり財宝をいただこうぜ！」

男たちが無造作に、僕に向かって近づいてくる。僕はその場から動かず、じっと立ち止まったまま考えていた。

自分が何者なのか。なんのために、ここにいるのかを。

「おいガキ、大人しくしてら――へ？」

僕に手を伸ばした男は、くるりと宙を舞って濡れた地面に倒れ込む。突然のことで驚き、男は僕の足元で雨空を見上げている。

他の男たちも唖然とする。まさか、誰も予想できなかっただろう。伸ばした手を掴み、一瞬にして投げ飛ばされるなんて。

十歳にも満たない子供が、大人を投げるなんて。

「こ、このガキ！」

「殺すなよ！　抵抗するなら手足を斬り落とせ！」

男たちが剣を抜く。雨の中で刃が鞘《さや》から抜かれる音が聞こえて、わずかに鈍色《にびいろ》に光る刃が視界に入る。

あの頃の感覚が蘇る。

「僕の前で、抜きましたね？」

「そうだぜ？　怖いか？　こいつで斬られたくなかったら大人しくするんだな！」

「お断りします」

「チッ、そうかよ。だったら覚悟しやがれ！」

僕に投げ飛ばされた男も剣を抜き、怒りに任せて襲い掛かってきた。僕は感じ取る。自身に向けられた殺意と、剣の圧力を。

その時、僕の中に住まう剣の鬼が、久しぶりに呼吸をした。

「覚悟するのはそちらですよ？」

「──なっ」

無刀取り。

男が振り下ろした剣を躱《かわ》し、摑んで奪い取り、そのまま胸を突き刺した。狙いは外さない。しっかり心臓を一刺しする。

「が、は……」

「遅すぎますね。これじゃ、ハエも殺せませんよ？」

「こ、こいつ……」

「何をしやがった？　まさか魔術か？」

一瞬の出来事を目で追うことができなかった男たちは、恐怖におびえて手が震え始めていた。

そんな中、僕は冷静だった。

男から奪い取った剣は、僕がこれまで使ってきた刀とは形状が異なる。外国から持ち込んだ武器を何度か見たことがあるけど、それに近いか。

刀ではなく、剣だ。

重さも、長さも、刃渡りも異なる。加えて子供で、虚弱な肉体だ。想像していたよりも重く感じる。

「手入れもされていない。刀が相手なら、刃ごと斬ってしまえそうですね……」

殺し、奪うことしか考えていなかったのだろう。その点については、僕もあまり偉そうなことを言えない。

たくさん殺してきた。幕府の命に従い、仲間と共に戦い、数えきれない敵をこの手で斬り殺してきた。

人を殺《あや》めるのも久しぶりだ。懐かしさすら感じてしまう。そしてようやく、自分が生きていることを実感する。

そうだ。僕はいつだって戦場にいた。床に臥せてからも、仲間と共に戦うことだけを考えていた。身体は眠ろうとも、魂はみんなと共にある。

今もまだ、土方さんやみんなは戦場で命をかけて戦っているのだろうか。ならば僕も、僕の戦いも終わらない。

この肉体は借りものでも、この魂だけは本物だ。

僕は剣を構える。

「新選組一番隊組長、沖田総司――参る」

「こ、殺せ！」

「うおおおおおおおお！」

男たちが一斉に襲い掛かってくる。この身体は貧弱だ。背丈もないし、力も、体力だってない。

頑張って訓練していたことは知っているけど、ただがむしゃらに剣を振るうだけじゃ、剣術は上達しない。

久しぶりの実戦で、相手は大人たち複数。だけど僕なら――

「ガキが！　調子に乗りやがっ――て？」

「問題ないですよ」

斬りかかってきた男の一人目を、剣を振るう前に斬った。喉を一刺しされたことで、男は血を流して倒れ込む。

「な、なんだ今の？　突きか？」

「まったく見えなかった……」

「子供だからって、油断しないほうがいいですよ？　もっと本気で、殺すつもりで来てください」

「な、舐めやがって！」

次々に斬りかかってくる男たちを、僕は一人ずつ殺していく。身体の感覚を確かめるように、かつての戦場を思い返すように。

僕は体調を崩してからしばらく、病を隠して戦っていた。

弱った肉体の使い方も、その時に覚えている。戦場の中で、落ちていく自分の力を実感しながら戦った。

あの頃の経験が、今の僕を支えていると思うと、なんとも皮肉だ。

「なんなんだこのガキ……どういう強さしてやがる」

「この程度ですか？　これじゃ準備運動にも――っ、ごほっ！」

唐突に胸が苦しくなり、吐血する。

この感覚、労咳になった頃と同じ……いや、違う。

「なんだお前？　病気にでもなってんのか？」

「何もしてねーのにボロボロじゃねーかよぉ」

僕は口から流れた血を拭う。

「違いますよ」

病じゃない。思えば当然のことだ。この身体は、僕が乗り移る前に一度死んでいる。崖から落下し、地面に叩きつけられた。

肉体が負った傷を残したまま、僕は構わず戦場に来てしまったんだ。今さらになって、ボロボロだった自分の体に気づかされる。

骨は奇跡的に無事みたいだけど、内臓が少し傷ついているかもしれない。長期戦は不利になると判断した。

「すみませんけど、手早く終わらせましょう」

「はっ！　死にかけのガキの癖に、格好つけ……て……え？」

「……？　何を——⁉」

遅れて僕は背後に迫る異質な気配に気づいた。急いで振り返る。そこには、異形《いぎょう》の存在が僕たちを見下ろしていた。

「ま、まじかよ……なんでこんなところにオーガがいやがるんだ！」

「これは……」

二足歩行の巨人？

鬼のような顔つき、男たちの怯えようからして、彼らが呼び寄せた妖術の式神というわけでもない。

おそらくこれが、少年の記憶にあった魔物という異形の怪物なのだろう。実際に見るのは、少年も初めてだった。

思った以上の迫力があって、大きい。

そしてもう一つ、気づかされることがあった。

「月が……二つ？」

オーガと呼ばれた魔物の背後に、ようやく雲が晴れだして、月が顔を出していた。

しかし一つであるはずの月が、二つ輝いている。

青の月と、赤い月だ。

「……ああ、そうか」

僕は本当に、まったく別の世界にやってきたんだね。

改めて実感する。ここは僕が知らない世界。僕が生まれ育ち、生涯を終えた世界とは全く別の場所だ。

この世界に、僕は生まれ変わった。

僕だけが……。

「本当に？」

「に、逃げろ！　こんなやつ相手にしてられるかぁ！」

男たちが武器を捨て、慌てて逃げ出しているのがわかった。それほど強大な力を持つ魔物なのだろう。

けれど僕は、そんなことどうでもよかった。僕の頭の中には、一つの疑問が浮かんでいた。

僕が生まれ変わったのなら、他のみんなはどうなのだろうか？

もしかして、今の僕のようにみんなもこの世界のどこかで生きているんじゃないか？

先に死んでしまった仲間たちや、今は生きているかもしれないけど、いずれ命を落とした後で、彼らもここに来るのかも……。

――会えるかもしれない？

「みんなに？」

疑問は僕の中で、たった一つの希望へと変わった。

「危ない！　逃げて！」

誰かが叫んだ。生き残っていた村人の誰かだろう。心配そうに、僕の身を案じてくれている。

ありがとう、大丈夫だよ。

「じゃあ、死ねないね」

襲い掛かるオーガの拳をひらりと回避し、そのまま地面をたたき割った拳を、横から剣で斬り裂く。

「浅いかな」

さすが異形の怪物だ。硬さも人間の比にならない。虚弱なこの肉体じゃ、オーガの腕を両断することはできないか。

否、この世界には、かつて僕たちが持ち得なかった力が存在している。か弱いこの身体にも、それは流れている。

魔力、この世界の人間なら誰もが宿している内なる力。

この身体に宿った知識と、これまでの戦闘経験からくる感覚で理解する。魔力を練り、引き出す方法を。

「これでいいかな？」

全身から魔力を放出する。思った以上に扱いが難しくて、上手く操作はできていない。今はこうして無駄に放出するのがやっとだ。

それでも、魔力を練り上げたことで、身体に力が入るようになった。手足が、握った剣が軽く感じる。

今の僕なら――

「その首も斬れるよね？」

「――!?」

オーガが僕の殺気に反応して、咄嗟《とっさ》に拳を振るう。その拳を回避し、オーガの太い腕に乗った。

オーガは腕を振り上げ、飛び乗った僕を振りほどこうとする。その勢いを利用して僕は跳躍し、オーガの喉元に刃を届かせた。

いかに異形の怪物であれ、人間の形状をしているなら弱点も同じ。心臓を止めるか、首を斬れば殺せるだろう。

その予想は正しかったらしい。首を半分ほど刃で斬り裂かれたオーガは、うめき声を上げながら苦しみ、倒れ込んだ。

「ごほっ、ごほっ……っ、やっぱりきついかな」

戦闘が終わり気が抜けると、魔力が凪《な》いで全身が脱力する。僕は剣を地面に突き刺し、支えにして姿勢を維持する。

そうして空を見上げると、雨は弱まり、徐々に雲が流れて……。

「――ありがとう、リクル・ビクセン」

それが、この身体の持ち主の名前であり、僕にとってのもう一つの名前になる。

「君の願いは、僕が引き継ぐよ」

リクルの願いはたった一つ。この身体でも、才能がなくても、強くなれることを証明することだった。

その願いを僕は引き継ぐ。僕なりの方法で、君が望んだ強さを手に入れてみせる。

どうか僕の中で見ていてほしい。

その代わり、僕からも一つだけお願いがあるんだ。

「どうか、僕の願いを、この身体で、この世界で叶えさせてくれないかな？」

僅かに浮かんだ可能性。仲間たちも、僕と同じようにこの世界のどこかで生きているかもしれない。

確かめたいんだ。本当にそんなことが起こるのか。奇跡が起こってくれたのなら、僕はみんなともう一度……新選組として戦いたいんだ。

今度こそ、最後まで。

僕は胸に手を当てて、彼の答えを待っていた。ここにあるのは魂の残骸だ。彼自身はもう死んでしまっている。

それでも、確かに聞こえた気がしたんだ。いいよ、というリクルの言葉が。

「ありがとう」

僕は僕だ。生まれ変わっても変わらない。

新選組一番隊組長、天然理心流《てんねんりしんりゅう》の沖田総司であり続ける。そしてこの身体の君は、リクル・ビクセン。

ビクセン男爵家に生まれ、術式という才能を持たずに生まれてしまった……不憫な少年。

僕たち似ているけど、違う人間だった。けれど今、この瞬間から――

「僕たちは一つだ」

沖田総司であり、リクル・ビクセン。どちらの名も捨てるつもりはない。僕たちは一緒に生きていく。

この世界で、誰よりも強い男になってやろう。

第一章　異世界の剣士

とある村の近くの街道にて、窃盗を終えた盗賊たちが屯《たむろ》していた。

彼らは盗んだ金品や、捕えた女子供を見ては笑い、女性に対してはみだらな行為を働こうとしている。

きっとむごい光景を見せられたのだろう。抵抗する気力すらなくなり、されるがままの女性たち。

高笑いと下衆《げす》な笑みが満ちる中で、突然誰かの悲鳴が響く。

「ぐああああああああああ」

ポタポタと、刃から血が流れ、盗賊の一人が地面に倒れ込む。そこに立っている小柄な人物に、盗賊たちは戦慄する。

「な、なんだてめぇは！」

「詮索しなくていいですよ。どうせ皆さん、ここで死ぬんですから」

次々に盗賊たちを斬り倒していく。ちゃんと戦えるように、それぞれが武器を持つ時間を与え、その上で両断していく。

誰一人として、剣に触れることすら許さない。吹き出す返り血を躱《かわ》しながら、最後の一人を残してため息をこぼす。

「はぁ……やっぱりこの程度ですね。ガッカリしました」

「て、てめぇが……噂になってる……人斬りの亡霊⁉」

「人斬りと一緒にされるのは心外ですね。それから、僕は亡霊なんかじゃありませんよ？」

「じゃ、じゃあなんだってんだ！」

男は破れかぶれになって突進してくる。僕は彼の突進をひらりと躱し、軽く足をかけて転ばせた。

「ぐっ……！」

振り返る男に向けて、僕は剣を上段に構える。

「僕は武士ですよ。修行中の……ただの武士です」

「ぶし……？」

「ああ、この世界にはない言葉でしたね。それじゃあさようなら。次に生まれ変わることがあれば、まっとうに生きてください」

僕は剣を振り下ろす。首を一撃で斬り落とせば、痛みも苦痛も感じない。せめてもの慈悲だ。

血の付いた剣を振るい、刃から血を落とす。

「ふぅ、こんなものですか」

「あ、あの……」

捕らえられていた女性と子供たちが、僕を見ながら怯えている。戦いではなく一方的な惨殺を見せてしまったせいだ。

僕は彼女たちを安心させるように、ニコリと笑みを見せる。

「もう大丈夫ですよ。彼らの処理は僕がしておきます。皆さんは村へ戻ってください」

「あ、あなたは一体……」

「僕は誰でもありません。詮索もしないでください。今の僕はただ剣を振るう者でしかありません」

ここは僕の家、ビクセン男爵家の領地の一部だ。辺境だから領地だけは無駄に広くて、小さな村のことなんて把握もしていない。

だからこんな風に、村が盗賊たちの標的にされやすい。村で暮らす人々にとっては災難だけど、僕にとってはちょうどいい実戦の場だ。

悪者なら、問答無用で斬り倒しても責められることはない。ただ、僕の正体がバレるといろいろと面倒だ。

今もフードで顔を隠し、ローブで姿を隠し、名も名乗らず、誰にも知られることなくその場を後にする。

西の空に太陽が昇り始めていた。

「そろそろ戻らないと」

本来、僕は今頃、屋敷でぐっすり眠っていることになっている。誰も、僕が毎晩こうして悪者退治をしているなんて思っていない。

今の僕が自由に行動できるのは、この深夜の時間帯だけだった。なるべく時間を有効に使い、この五年を過ごした。

僕は腰の剣を抜き、じーっと眺めながら考える。

「やっぱり刀のほうが使いやすいな」

残念ながら、この世界に刀という概念は存在しないらしい。あるのは剣、ソードと呼ばれる刃物だった。

どれも刃があり、刀と同じ剣ではあるのだけど……。

「違うんだよな。これじゃない」

僕ら武士が腰に携えていたのは刀であり、僕らの流派はどれも、刀を使う剣術を極めてきた。

剣でも刀の技は使える。けれど、やはり使い勝手の悪さを感じていて、その本領を発揮できない。

どこかに刀に類似した剣を作っている鍛冶師《かじし》はいないだろうか。世界はとても広いと聞いている。もしかすると、知らないだけでいるかもしれない。

そう、僕以外の新選組《しんせんぐみ》の仲間たちがいるかもしれないように、この世界にも、刀を打てる鍛冶師が……。

「いい加減、これからのことも考えないといけないかな」

ずっとこの辺境の地で暮らすわけにもいかない。僕にはやりたいことがある。

この身体の持ち主、リクル・ビクセンとの約束を果たし、僕たちの強さを証明すること。

そして、世界のどこかにいるかもしれない僕の仲間たちを見つけること。どちらも、この地に留まっていては叶わない。

だが果たして、僕は円満にこの地を去ることができるだろうか？

◇◇◇

早朝。

目覚めたことになっている僕は、予《あらかじ》め用意していた着替えを手に取り、服を着替えて身支度を整える。

貴族というのは位の高い人間のことだ。僕も一応、貴族の子供なのだけど、使用人の人たちも、僕のお世話はしてくれない。

朝から着替えを手伝ったり、朝食へ案内したり、身の回りのことは頼めば彼らが全部やってくれる。少なくとも僕以外なら。

僕は頼んでもやってくれない。そもそも、頼むことすらできない。

着替えを終えた僕は一人、部屋を出て食堂へと向かった。

屋敷の中を歩いていると、使用人の人たちとすれ違う。誰も僕のことを気にしていない。この対応がずっと続いていると、嫌でも慣れる。

というか、まだマシなほうだと思えるようになっていた。無視される程度で、危害を加えられないのなら……。

「まだいたのかよ！　マヌケな愚弟《ぐてい》」

「──おはようございます。兄さん」

僕は振り返り、笑顔で挨拶をした。彼も同じように笑顔だ。

「何いっちょ前に挨拶なんてしてんだ？　お前の挨拶に俺が返事をするとでも思ったのかよ」

「思っていませんよ？　でも、挨拶しないと怒るじゃありませんか」

「当たり前だろうが。格下の人間が、格上の俺に礼儀正しくするのは当然のことだもんなぁ」

「そうですね、兄さん」

ずっと威張っているこの人が、リクル・ビクセンの実兄。アトリ・ビクセン。年齢は一つ上の十五歳。

見てわかる通り、僕のことを馬鹿にするのが楽しいらしい。毎日飽きずに、会う度に悪態をついてくる。

最初こそ、怯えているような演技をして乗り切っていたけど、最近は面倒臭くなって、笑顔で適当にあしらうようになった。それでも変わらず、毎日僕を見つけては声をかけてくる。

ある意味、この屋敷で一番、僕のことを見ているのはこの人だろう。もちろん、いい意味ではないけれど。

「兄さんも朝食ですか？　ご一緒に行きましょう」

「ふざけてんのか？　誰がお前なんかと一緒に行くか」

そう言って兄さんは、そそくさと一人で食堂の方角へと歩きだす。僕も同じ場所に向かっているし、結局一緒に歩くことにはなった。

兄さんの後に続いて食堂に入る。すると、すでにこの屋敷の主であり、ビクセン家の当主、僕たちの父親が待っていた。

「おはようございます！　父上！」

「ああ、おはよう。アトリ」

「おはようございます。お父様」

「……早く座りなさい。アトリ」

「はい！」

いつも通り、僕の挨拶は無視されてしまった。お父様も、この屋敷の使用人たちと同じように、僕のことを無視している。

元々会話は少ないほうだったみたいだけど、僕がリクルになってからは特に話す機会はなくなっていた。

それでも食事の用意はしてくれている。完全にない存在として扱われている、というわけではなかった。

お父様も、使用人たちも、意識的に僕のことを見ないようにしている。そんなに嫌なら、追い出せばいいのに……それもしない理由はなんだろう？

五年だ。

僕がリクル・ビクセンになってから、五年の月日が経過した。

目的を定めた僕は、一先《ひとま》ずはこれまで通り、リクル・ビクセンとして振る舞い生きることにした。

変に別人のように振る舞っても、違和感を抱かれて行動がしづらくなると思ったからだ。その代わりに、みんなが見ていない深夜を活動の主軸にして、剣術の訓練やこの世界での戦い方を学んだ。

誰も教えてはくれないから、すべて独学だ。

リクルがすでに持っていた知識を元に、屋敷の書庫へ忍び込んで調べものをしながら、この世界での力と、その使い方を学んだ。

あとは実戦で試す。幸いなことに、この屋敷の領地には魔物もいるし、昨晩退治したような盗賊だってやってくる。

力を試す機会には恵まれていたものの、相手としては不十分だ。盗賊は弱いし、魔物も所詮は動物だから、慣れれば目を瞑っても勝てる。

今よりも強くなるためには、これまで以上に厳しい環境で、強い相手と戦わなければならない。

僕たちの剣術は、戦場に身を置いてこそ真価を発揮する。

「アトリ、お前も来年から、王都の学園に通うことになる。今の内から準備をしておくように」

「はい！　もちろんです、父上！」

王都の学園……か。

この世界でいう京の都みたいな街には、世界最大の教育機関があるらしい。貴族だけではなく、平民の多くも受験し、未来の王国のために優れた人材を育てる場所。

この世界では十五歳を成人として、独り立ちをさせる機会になっていた。兄さんは今年で十五歳だ。

ビクセン家は代々、王都の学園に入学して、そこで魔術に関して学び、卒業と同時に魔術師団への入団が決まっている。

初めから用意された出世街道。ただし、兄さんだけだ。僕には魔術の才能がなかったから、学園には入学させてもらえない。

でも、王都はこの国の中心で、多くの人間が集まる場所でもある。僕たちの目的を達成するために、もっとも適した場所だと言える。

ここしかない。僕はそう思い、久しぶりにお父様に声をかけた。

「お父様！　僕からお願いしたいことがあります！」

「……はぁ」

お父様は小さくため息をこぼし、僕に視線を向けてくれた。

「なんだ？」

冷たい視線と声だけど、ちゃんと反応してくれた。僕の中にあるリクルの魂の残りが、少し喜んでいる気がする。

どんな不当な扱いを受けようとも、リクルは心の底から父親のことを嫌うことができなかったらしい。

僕は兄さんにチラッと一瞬視線を向ける。これからお願いすることを聞けば、間違いなく兄さんは怒るだろう。

だから僕は最初に謝っておくことにした。言葉ではなく、笑顔で。

ごめんね、兄さん。

「お父様、僕も王都の学園に通いたいです」

「――！」

「はぁ？　何言ってんだお前は」

お父様は驚き、兄さんは僅かに苛立ちを見せている。兄さんは呆れながら、僕に向けて言う。

「お前さぁ、もうちょっとマシな冗談を言えよ。そんなの笑えな――」

「冗談ではありません。僕は本気です」

「――！　おい、わかってんのかよ。自分の言葉の意味が」

「……はい」

兄さんは僕を睨んでくる。僕は兄さんの視線から目を背けない。ここで引いてしまったら何にもならない。

しばらく睨み合いを続けていると、お父様が口を開く。

「ダメだ」

お父様はキッパリと否定し、続けて言う。

「お前は地方警備隊に入れる。そういう話だったはずだ」

地方警備隊とは、王国騎士団の下部組織であり、その名の通り、地方を警備するために配属される騎士のことだ。

辺境の領地を治めるビクセン家は、代々一人以上、地方警備隊に配属させることが王国との契約で義務付けられている。

騎士団や警備隊は、僕のように魔術が使えない人間でも入隊することが許されていた。故に、僕に魔術の才能がないと判断された時点で、地方警備隊へ配属されることが決定していた。

お父様は続けて言う。

「リクル、お前に魔術師としての才能はない。王都の学園に通ったところで、お前は魔術師団には入れない」

「わかっています。だから、僕は騎士団を目指します」

「騎士団だと？」

「はい。騎士団と魔術師団は同等の組織です。そして騎士団なら、僕でも入ることはできるはずです」

そう説明する僕を見ながら、お父様は訝《いぶか》しむように目を細める。疑っているのだろう。僕のことを。

するとお父様でなく兄さんが呆れた表情で首を振りながら言う。

「馬鹿じゃないのか？　お前が騎士？　なれるわけないだろ？　魔術どころか剣術すらまともに使えない奴が、どうやって騎士団に入るんだよ」

「……剣術なら使えます」

「見栄を張ってんじゃねーよ。どうせ振り回すことしかできない癖に」

「……」

この屋敷に、僕の剣術を見たことがある人間は一人もいない。僕が今の僕になる前、リクル・ビクセンの剣術なら知っているだろう。

もはやあの頃の剣術とは別物になっていることを、彼らは知らない。だから、こんな風に僕の発言を馬鹿にしている。

「騎士団とて、魔術がまったく使えない人間は少数だ。お前のように、術式を持たずに生まれた者でも、魔力の扱いを身に付けることで大成した者もいる。ただ剣術を磨けばいい、というわけではない」

「はい。わかっています」

「リクル、お前の才能のなさは、術式の有無だけではない。魔力の扱いも杜撰《ずさん》で、見るに堪えない。そんなお前が、騎士になれるか？」

「父上の言う通りだぜ。馬鹿みたいなこと言ってないで、お前は言われた通りに地方警備隊に入ればいいんだよ」

二人の意見は変わらない。食事も終わり、お父様は席を立とうとする。

「話は終わりだな。私は仕事がある。先に戻らせてもらうぞ」

「待ってください、お父様」

「……まだ不満があるのか？」

立ち上がったお父様はため息をこぼし、苛立ちながら僕に問いかける。このまま引き下がるつもりはない。

僕はなんとしても、この屋敷を出る必要があるんだ。

「なら、僕に才能があれば……認めてくださるのですか？」

「……なんだと？」

「例えば、そうですね。僕が兄さんよりも強ければ……僕が王都の学園に通って、兄さんが地方警備隊に入る、ということになりませんか？」

僕は笑顔でそう提案した。

お父様は驚いている。そして当然、今の発言を聞いた兄さんは、顔を真っ赤にして怒りを露《あらわ》にしていた。

「おいリクル、ふざけるのも大概にしておけよ」

「ふざけていません。僕は本気です」

「本気？　だったら尚更聞き捨てならねーなぁ。お前が俺より強いだって？　はっ！　そんなことあるわけねーだろうが」

「だったら試してみますか？」

僕はおもむろに立ち上がる。

これまで僕は、彼らが知っているリクル・ビクセンを演じていた。弱々しく、才能がなく、彼らに逆らうことのない気弱な少年を。

そうしたほうが、変に疑いをもたれることもなく、自由に行動できると思っていたからだ。けれど、それも今日までの話。

ここから先に進むためには、才能のない僕のままではやっていけない。ちょうどいい機会だ。

リクルが苦しんでいた分のお返しを、彼らにしてあげよう。

「お父様、お兄様と戦って僕が勝てば、さっきの話を考えていただけませんか？」

「……」

お父様は無言で僕のことを見つめ、考えている。静寂を挟み、お父様はゆっくりと口を開く。

「いいだろう」

「父上！」

「アトリ、リクルと戦いなさい。勝てばいいだけの話だ」

「……わかりました。怪我をさせることになってもいいんですね？」

兄さんは父上に怖い表情で尋ねた。父上は僕に視線を向ける。それでもいいのかと、尋ねるように。

僕は笑顔で頷いた。

「もちろんですよ。真剣勝負ですから、怪我をすることもあります。もっとも、怪我の心配をするのは僕じゃありませんが」

「調子に乗ってんじゃねーぞ？　お前なんか二秒あれば十分なんだよ」

「二秒は短いですね。せっかくの機会なので、もっと存分に戦いましょう。兄さんにも、僕の力を見てもらいたいです」

「リクル、お前……」

いくら睨まれ怒られようとも、僕は常に笑顔でい続ける。それを不気味に感じたのかもしれない。兄さんは僅かに動揺を見せていた。

「いいぜ、中庭に出やがれ！」

「はい」

◇◇◇

僕たちは場所を移した。

中庭の広く、邪魔になるものが少ない場所を選び、僕たちは向かい合う。僕は右手に木剣を持ち、兄さんは無手《むて》だ。

「兄さんは武器を使わなくていいの？」

「なめんな。俺は魔術師だぞ？　俺自身が武器なんだよ」

「そうでしたね。失礼しました」

「……っもっと悔しがれよ」

兄さんが小声で悪態をつく。

僕の態度の変化に戸惑い、苛立ちを感じているみたいだ。彼らにとっての僕は、才能のなさから劣等感に苛《さいな》まれ、自分を卑下するような存在だった。

そんな僕が、兄さんに戦いを挑んでいること自体がありえない展開なのだろうと思う。

屋敷に視線を向ける。騒ぎを聞きつけて、使用人たちも隠れて僕たちの戦いを見ていた。

きっとこの中の誰一人、僕が勝利することを予想できないだろう。だから必ず、彼らは驚く。その光景を僕の中にいる彼に見せてあげたい。

「さぁ、晴れ舞台だよ」

僕はいつもより少しだけ、剣を握る手に力を入れた。

お父様が僕たちの間に立ち、戦いの決まりごとを説明する。

「ルールはわかっているな？　魔術、剣術、何を使用しても問題ない。どちらかが戦闘不能になる。もしくは敗北を認めた時点で勝敗は決まる。殺すのはなしだ」

「わかりました、父上」

「はい。それで問題ありません」

「……よし。では――」

お父様が離れていく。一歩、二歩、三歩と進み、邪魔にならない距離まで移動してから振り返る。

「始めなさい」

お父様の掛け声を合図に、僕と兄さんの決闘が始まった。最初に動いたのは僕ではなく、兄さんのほうだった。

「覚悟しやがれ！　リクル！」

兄さんは拳を握り、真正面から突っ込んできた。駆け引きもなく、ただただまっすぐに殴り掛かってくる。

僕は兄さんの攻撃をひらりと回避した。

「避《よ》けてんじゃねーぞ！」

「避けますよ。だって当たったら痛いじゃないですか」

「はっ！　痛いで済めばいいよな！」

兄さんは続けて僕に殴り掛かってくる。十五歳の身体ではありえない速度だ。兄さんは魔力を操作し、自身の身体能力を一時的に向上させている。

打撃も、蹴りも、常人のそれよりも速くて重い。外れた蹴りが地面を抉《えぐ》り、その威力の高さを物語る。

だが、一発も当たらなければ意味はない。

「くそっ、逃げてばっかりじゃねーか！」

「兄さんこそ、どうして術式を使わないんですか？」

「なめんな！　てめぇなんざ術式なしで十分なんだよ！」

「……そうですか」

侮っているのは兄さんのほうだ。僕の力を見せつけるためにも、兄さんには全力を出してもらわないと困る。

仕方ない。僕から動いて焚きつけるとしよう。

「……は？」

「――!?」

お父様と兄さんは驚き、疑いの目を見開く。

僕は決闘の最中、剣を腰に差した。そう、武器をしまったのだ。そうして無手のまま、腰を低くして構えをとる。

「お前……ふざけるのも大概にしろよ」

「ふざけていませんよ」

「じゃあなんで剣をしまった？　まさか、俺に体術で勝てるつもりか？　魔力もまともに扱えない癖に」

「兄さんだって、術式を使うつもりがないんでしょう？　だったら僕も、剣は使いません。使わなくても、術式のない兄さん相手なら十分ですから」

僕は笑う。とびきり明るく、煽るようにして。

ブチっと、何かが切れるような音が響いた気がする。兄さんの中で、怒りが満タンになってしまったようだ。

顔を赤くして、血管が浮き上がった顔は、まるで鬼のようだった。

「ぶっ殺されても文句言うなよ！」

兄さんは怒りに任せて突進してくる。先ほどよりも少しだけ速い。身体から放出する魔力の量が増えている。

感情の高ぶりによって、一時的に出力が向上したのだろう。感情で魔力制御が乱れるなんて、未熟な証拠だ。

僕は兄さんの拳に手を合わせて勢いを往《い》なし、そのまま足をかけて倒れ込ませる。

さらに腕を摑んで引っ張り、倒れる勢いを利用して思いっきり投げ飛ばした。

「ぐはっ！　な、なんで……」

倒れて地面に寝転がり、僕のことを見上げる兄さんに、僕はニコリと微笑みながら応える。

「速くて重いだけの攻撃なんて、怖くはありませんよ？」

「てめぇ！」

兄さんはすぐに立ち上がり、再び殴り掛かってくる。

しかし当たらない。打撃も、蹴りも往なし、次の瞬間には投げ飛ばす。また立ち上がり、攻撃を仕掛ける兄さんを、幾度となくあしらう。

「なんで……なんで当たらねーんだ！」

「動きが雑なんですよ、兄さんは」

剣術と柔術は表裏一体。柔術は剣術に対抗するために発達し、剣術もまた、柔術に対抗するために進化した。

優れた剣士ほど、柔術にも精通している。どちらも極めなければ、戦場で生き残ることができないからだ。

いくら強力な一撃を放とうと、動きが常人を多少越えようと、動きを見きってしまえば往なすことは簡単だ。

相手の力や勢いを利用して投げ飛ばすことだって、慣れてしまえば難しくない。

兄さんのように、身体能力任せの動きなんて、簡単に見きれる。

「はぁ……はぁ……」

「お疲れですね？　少し休みますか？　兄さん」

「……っ、ふざけてんじゃねーぞ！」

兄さんの叫びと同時に、突風が吹き荒れる。兄さんを中心にして、竜巻のようなものが発生していた。

随分と粘ったけど、ようやく使ってくれたらしい。

「術式、使わないんじゃなかったですか？」

「うるせぇぞ。魔術もロクに使えない出来損ないには、しっかり見せつけてやったほうがいいと思ってなぁ」

兄さんを中心に発生した気流は、彼の想いのままに操られている。あれが兄さんが持つ術式、気流操作の力だ。

気流を操り、竜巻を発生させている。単純だけど強力な術式で、お父様も兄さんには優れた才能があると言っていた。

確かに、僕たちにはなかった才能だ。

「今さら後悔しても遅いぞ？　俺を馬鹿にした分はきっちり身体に教え込んでやる！　才能の差ってやつを！」

兄さんは荒ぶる竜巻を自身の右腕に収束させた。爆発的に弾けた魔力が一か所に集まり圧縮されている。

どんな攻撃を仕掛けてくるかわからないけど、兄さんの本気は伝わった。瞳が、表情が、僕への怒りで満ちている。

「死なない程度に殺してやるよ。腕を斬り落とせば、もう二度と剣も振るえなくなるよなぁ！」

「――！　待てアトリ！」

お父様が叫んだのを初めて見た。たぶん、お父様はこの時点で兄さんがどんな攻撃を仕掛けるつもりかわかったのだろう。

そしてその攻撃が、僕の命に届きうるものだということを悟り、兄さんを止めようと声を出してくれた。けれど、頭に血が上った兄さんに、お父様の声は聞こえていなかった。

兄さんは一切躊躇《ちゅうちょ》なく、竜巻を収束させた右腕を横に振るった。右腕から放たれたのは、魔力と風が混ざりあった斬撃だった。

ほぼ同時に三発、風の斬撃が僕に向かって放たれる。風圧で舞った落ち葉が、一瞬にしてスパッと斬れる音がした。

体感的にわかる。風の斬撃の切れ味は、実際の真剣と同等かそれ以上。僕の木剣なんて簡単に両断して、そのまま僕自身まで刃は届く。

「――それでいいよ」

ようやく、本気で僕を殺す気になってくれたらしい。

嬉しいよ。そうじゃなきゃ、戦いにならない。そうじゃなきゃ、僕の力を示す舞台は整わない。

「お待たせ」

僕は腰の剣に触れる。やっと、君を振るう舞台が整った。始めよう。ここからが僕の……沖田総司《おきたそうじ》の戦いだ。

剣を抜く。直後、金属音が鳴り響いた。

「なっ……嘘だろ？」

「……これは……」

二人は驚愕している。

本気で放たれた三つの斬撃は、一つも僕に届くことはなく霧散した。彼らには見えただろうか？

僕が三つの斬撃に合わせて木剣を振るい、すべて叩き落としたことが。

「な、何しやがった！」

「――そっか、兄さんには見えなかったんだね？」

僕はお父様に視線を向ける。驚いている様子は伝わったけど、果たしてお父様には伝わっただろうか。

兄さんと同じように、何が起きたかわからず驚いているだけなら困るな。

「わからないなら、もう一度撃ってみればいいよ。今度は兄さんにもわかるように、ゆっくりやるから」

「くっ……調子に乗るな！」

兄さんは怒り、両手を高く上げる。今度は左右の腕に竜巻を発生させ、両手を合わせて振り下ろす。

同じ風の斬撃が縦に放たれる。ただしさっきよりも大きく、数は一撃だけ。巨大な風の斬撃は地面を斬り裂きながら僕に迫る。

体感で威力も増していることはわかった。けれど関係ない。同じように、今度はわかりやすいように、ゆっくり振るおう。

片手で剣を握り、下から斜め上へと斬り上げる。風の刃と接触した瞬間、金属音が響き、風の刃が霧散する。

「――お、俺の攻撃を……」

「斬ったのか？　ただの木剣で？　いや……」

「どうですか？　今度はハッキリ見てもらえましたよね？」

僕はニコリと微笑んで、お父様のほうへと視線を向けた。地面すら斬り裂く風の斬撃を、木剣で打ち消すなど本来は不可能である。

当然、木剣のほうが両断されるからだ。

しかし、僕は木剣で兄さんの斬撃を斬り裂いた。一度ならず二度も見せれば、嘘ではないことが証明されるだろう。

「な、なんだその剣！　インチキしてるだろ！」

「え？　インチキですか？」

「そうだ！　木剣で俺の攻撃が防げるわけない！　何か細工をしてるんだ！　父上！　あいつは卑怯なことしています！」

「——違うぞ、アトリ」

お父様は厳しい表情で見つめる。僕を、ではなく、兄さんを。兄さんは気づかなかったみたいだけど、お父様は気づいたようだ。

理解できていない兄さまは、否定されたことにキョトンと首を傾げる。

「父上？」

「リクルの木剣をよく見なさい」

「え？　よくって、ただの……！」

「気づいたか」

「……魔力を、纏《まと》っている？」

僕はニヤリと笑みを浮かべ、見せつけるように剣を前に出し、刃を兄さんに向けて構える。

「正解ですよ。これはただの木剣、種も仕掛けもありません。刀身に僕の魔力を纏わせているだけです」

よく目を凝らすことで、うっすらと木剣の刀身が青く光っているのがわかる。僕は自身の魔力を木剣に流し込み、刀身に纏わせていた。

金属音が響いたのは、風の刃に僕の魔力が衝突したからだ。魔力には個人差がある。総量、出力……性質だ。

僕の魔力はどうやら、刃に近い性質を持っているらしい。普通の魔力よりも鋭くて、よく斬れる。

それを見たお父様は、訝しむように僕に尋ねてくる。

「魔力を放出するのではなく、纏わせているというのか？」

「はい。放出すれば威力は増します。けれど一瞬だけで、魔力も大きく消費してしまいます。だから放出ではなく、表面で循環させているんです。そうすれば魔力を消費せずに戦えますから」

「表面で循環？　そんなことできるわけねーだろ！」

兄さんが叫ぶ。僕の言葉を疑いながら。そんな兄さんに笑いながら、僕はハッキリと教える。

「兄さん、現にできていますよ」

「っ……」

「確かにできている。だが、それだけでアトリの攻撃をどうやって防いだ？」

「そ、そうだ！　いくら魔力を纏わせたって、そんな少ない魔力で俺の攻撃を弾けるわけねーだろ！」

兄さんは声を荒げる。

「少ない魔力？　ああ、そういう風に見えるんですね」

確かに見た目は少なく見える。よく観察しないと、木剣が魔力を纏っていることに気づかないほどだ。

二人が勘違いしてしまうのも無理はない。だから僕は、答え合わせをするように、木剣に纏わせていた魔力を解放する。

木剣から溢れる魔力は空気を揺らし、地面を震撼させる。

「──この魔力は……」

「見えますか？　これが今、木剣の刃に纏わせていた魔力ですよ」

刀身から放出された莫大な魔力に、二人は唖然とする。特に対峙している兄さんは、その大きさと迫力を前に後ずさる。

「嘘だろ……だってお前、魔力だってほとんど持ってなかったのに」

「……そうですね。昔は」

リクル・ビクセンには本人すら気づいていない秘密があった。

彼は術式を持っていなかったのではない。術式の存在に誰一人として気づくことができなかった。

それもそのはずだ。なぜなら彼の術式は、自身の死によって完成し、発動する一度限りのものだった。

自身の肉体に、異なる魂を転生させる。それこそが、リクル・ビクセンが宿していた術式の効果。発動するためには、自身を殺し、空っぽの肉体を用意しなくてはならなかった。

他者の魂に干渉する術式。この力の影響で、彼は魔力の大部分を術式に吸収され、強制的に蓄えさせられていた。

一見して魔力がほとんどないように見えたのは、内側に潜む特別な術式に、そのほとんどを吸い取られていたから。

生まれながらの虚弱体質も、この術式により、魔力だけでなく生命力までも吸収、蓄えさせられていたからだった。

もっとも、そうでなくても彼は元から身体が貧弱だった。けれど、この術式の代償として、彼はどれだけ身体を鍛えても、そのほとんどが術式に吸い取られる。

決して努力不足ではなかった。全て、身に余る大きな力を宿してしまったが故の……苦悩である。

「リクル、お前……ずっと隠してやがったのか!」

「別に隠していたわけじゃありませんよ」

「嘘つくんじゃねえ! こんなバカみたいな魔力、いきなり手に入ったとでもいいたいのかよ!」

「そうですよ」

「――――!」

兄さんには信じられないだろう。

リクルは僕を転生させたことで、魂は天へと召された。彼の術式は発動と同時に消滅し、僕は正真正銘、術式を持たない存在になったんだ。

代わりに、これまで蓄えられていた莫大な魔力が一気に解放されたことで、僕の身体には今、十年分の魔力が巡っている。

虚弱体質は相変わらずだけど、術式から解放されたことで使えるようになった魔力のおかげで、弱い肉体を補強し、強化することができるようになった。

だから僕は、剣術を磨きながら、魔力の使い方についても学んだんだ。

誰も教えてはくれなかったから独学で、いくつも使い方を試し、もっとも効率的で、最適な運用方法を見つけた。

それこそがこの、魔力を放出するのではなく、纏わせ表面で循環させるという方法だった。

僕の魔力の性質は鋭い。ただの魔力なら、循環させせたところで硬度が増す程度だけど、鋭い魔力は高速循環させることで、のこぎりのように相手を削る。

よって今、この木剣の切れ味は、真剣にも匹敵する。

「さぁ、続きを始めましょう？　まだまだこれからですよね？　兄さん」

「――っ、当たり前だ！　俺の実力はまだこんなもんじゃねぇ！」

「そうこなくっちゃ」

「くっ、なめやがって……見せてやるよ！　とっておき！」

兄さんは両腕を大きく左右に開き、四方に突風を発生させる。突風は渦を巻き、巨大な竜巻となる。

一つ、二つ……四つの竜巻が生成され、綺麗な花が咲いていた中庭は、一瞬にして嵐のように荒々しくなった。

「本当は使うつもりなかったんだけどなぁ！　お前が悪いんだぜ？　術式も使えない癖にいい気になりやがるから！」

「すごい竜巻ですね。屋敷まで吹き飛んでしまいそうだ」

「はっ、安心しろよ。ちゃんと制御できてるからな。吹き飛ばすのは屋敷じゃなくて、お前一人だけだ！」

竜巻は地面を豪快に抉り、花びらや土、花壇を巻き上げながら僕を四方から取り囲む。

「逃げるなら速くしろよ？　この竜巻はただの風じゃねえ。鋼鉄すら斬り裂く無数の斬撃が飛び交ってるんだ」

「斬撃……そうか、さっきの攻撃か」

「竜巻に呑まれたら最後！　お前の全身がズタズタに斬り裂かれる！」

「ズタズタか。うん、そうなったらいいですね」

僕は一切動じず、余裕の笑みをこぼす。その様子が気に入らなかった兄さんは、苛立ちを露にして叫ぶ。

「そうかよ！　じゃあお仕置きだ！」

四つの竜巻がほぼ同時に、僕の下へと移動を開始する。四方を囲まれ逃げ道はなく、僕は竜巻の中に入り込む。

「はっはっはっ！　どうだ！　苦しいか？　降参するなら止めてやってもいいぞ！」

兄さんの得意げな声が響く。

それと一緒に、無数の金属音が鳴り響いていることに、兄さんは遅れて気づいた。

「この音……なんだ？」

「降参？　どうして僕が負けを認めるんですか？」

「――なっ……」

「この程度のそよ風で、何も苦しくはありませんよ？」

竜巻の中、無傷な僕を見て兄さんは驚愕する。僕の身体は竜巻の中にあり、竜巻の中では無数の斬撃が飛び交っている。

浮き上がった地面を軽々と斬り裂き、バラバラにするだけの威力がある。だけど、僕の身体は傷一つない。

斬撃が当たる瞬間、カキンと金属音が響き、火花が散っていた。

「ど、どうなって……」

「同じですよ。この剣と」

「ま、まさか……魔力を全身に……」

「纏っているというのか？」

お父様も驚いている様子で、兄さんの攻撃を一切通さない僕の身体を見ていた。

そう、纏っている。

木剣の刀身と同様に、全身に魔力を纏い、表面で高速循環させていた。今の僕は、肉体そのものが一つの刃と化している。

兄さんの竜巻の風も、そよ風程度にしか感じない。

僕はなんの障害もないように、ゆっくり、まっすぐに歩き出す。

「く、来るな！」

「嫌なら術式で止めてください」

「くそっ！　くそっ！」

兄さんはがむしゃらに術式を発動させ、突風で僕を吹き飛ばそうとしたり、斬撃を飛ばして攻撃してくる。

残念ながら、どれも僕には届かない。今の僕に攻撃を届かせることができるのは、僕と同等以上の魔力量と、魔力操作技術を持つ者だけだ。

この五年間、彼らが見ていないところで、ひたすらに技を磨いた。剣術だけでは、この世界で強くはなれない。

魔力という僕が体感してこなかった力を使いこなすことで、ようやく最初の一歩を踏み出せる。

僕たちが目指しているのは、この世界で強さを証明することだ。ならば僕も、沖田総司として自分をさらに超えて、新しい自分に生まれ変わろう。

強さは一つじゃない。

あの頃を思い出す。共に研鑽《けんさん》した仲間たちのことを。出自も、流派も、志す正義も異なる。けれど皆、同じ方向を向いていた。

一人の武士として、強さを追い求めていた……愚か者たちだ。

願わくば僕も、最後まで愛すべき愚か者な仲間たちと共に、戦場で戦って散りたかったよ。

「兄さんには才能があって、僕にはなかった。けど、戦いはそれだけで決まるわけじゃありません。戦場にはあるんです。予想できない……強さとも呼べないような、不気味な脅威が」

「や、やめろ……くるな！」

「兄さんの敗因は……たくさんあります。努力不足、才能にかまけて鍛錬を怠った。僕のことを侮った。もっと真剣に努力していれば、こんなに一方的な戦いにならなかったかもしれませんね」

僕は木剣を上段に構える。兄さんは後ずさり、逃げようとしてつまずいて、その場にしりもちをついた。

僕はここで、初めて剣に殺気を乗せた。

「それでも、結局勝つのは僕でしたよ。理由は簡単です」

「う、う……」

「兄さんは戦場を知らない。本物の……命のやり取りは、こんなにも優しくはありませんよ？」

僕は剣を振り下ろそうとする。直後、兄さんは涙目になり、目を背けて叫ぶ。

「お、俺の負けだ！　やめてくれ！」

兄さんの降参の声が響き、僕は剣を振り下ろさず、兄さんの頭の上で止めた。怯える兄さんは、僕のことを見上げる。

「……お、お前……」

「よかったですね。これが殺し合いじゃなくて」

元より本気で斬るつもりはなかった。けれど、勝敗をつけるためには、兄さんに降参を促すしかなかったから。

リクル、君も少しはスッキリしてくれただろうか？

今までずっと君のことを馬鹿にしていた人たちが、畏怖の表情で僕たちのことを見ているよ。

兄さんも、お父様も、使用人たちも、少なくともこの屋敷の中では、もう誰も僕たちのことを馬鹿にしないだろう。

「お父様、見てくださいましたか？」

「……ああ、見事だった。術式の有無を、剣術と魔力操作の制度で補ったのか」

「はい。魔術師としての成長は難しくても、剣士としてなら成長できると判断して、研鑽をつみました」

「そうか」

お父様は負けた兄さんに視線を向ける。怒っている様子はなく、むしろ憐れんでいるような視線で言い放つ。

「アトリ、お前の学園入学は取り止めだ。王都の学園への入学は、リクルにさせることとする」

「そ、そんな！　父上！」

「お前は負けたのだ。全力を出して、なお上回られた。違うか？」

「それは……」

反論の余地はなかった。

戦闘開始時はなめていた兄さんも、最終的には全力を出していた。使うつもりがなかった大技まで披露して。

ボロボロになった中庭が兄さんの本気を物語っている。ここまでやって、全力じゃなかった、なんて言い訳はできない。

何より、この戦いの勝者は兄さんではなく、僕だった。

「アトリ、お前は地方警備隊に入ってもらう。手続きはこちらでしておこう」

「……」

「わかったな？　アトリ」

「は、はい！　わかりました……父上」

お父様が珍しく兄さんに厳しく接している。少々気の毒ではあるけど、普段から威張っていた兄さんにはいい薬になるだろう。

お父様が僕に視線を向ける。

「リクル、お前には望み通り、王都の学園に入学する権利を与える」

「ありがとうございます、お父様」

「だが、今のままでは入学しても恥をさらすだけだ。学園は元より学問を学ぶ場所でもある。お前には学が足りない」

「……はい」

そんなこと言われても、教えることを放棄していたのはお父様のほうだ。本来行われるはずだった英才教育を、僕に術式がないと分かった時点で中断した。

貴族なら誰もが受けている教育を、僕は今日まで受けていない。それで学がないとか言われても……と思ってしまう。

「学園に入学できるのは一年半後だ。それまでに、お前にはここで勉学に励んでもらうぞ？」

「はい。わかりました、お父様」

今さら勉強か……と、正直ちょっと憂鬱だ。僕は昔から、座して学ぶことよりも、身体を動かして戦うほうが好きだった。

生まれ変わった今でも、その考えは変わっていない。できるなら勉強の時間だけでも、リクルに代わってほしいくらいだ。

もちろん、そんな無責任なことはできない。彼はもう、この世にはいないのだから。今はもう、僕が彼なんだ。

「ふぅ……でも、これでようやく……」

この地を旅立てる。

僕たちにとって、新しい一歩を踏み出せる。

見ていてね、リクル。

待っていてほしい、新選組のみんな。

僕はここにいるから。

第二章　懐かしき感覚

ビクセン家当主の部屋。

薄暗く、小さな灯りだけが灯る部屋で一人、ビクセン家当主は思考する。

「あれは……なんだ？」

彼は二人の息子の決闘を見守った。兄であるアトリの勝利で終わると誰もが思っていた中、予想外のことが起こってしまった。

術式を持たず、魔術の才能が一切ないと見放した弟リクルが、兄に勝利してしまったのだ。

それも、圧倒的な実力差を見せつけての完勝だった。

屋敷の中はしばらく、この話題で持ちきりになるだろう。彼の脳内もまた、リクルのことでいっぱいになっていた。

才能はなかったはずだ。

術式はもちろん、魔力量も常人以下で、扱う以前の問題だった。魔力総量は年齢と修練により向上するが、加齢による成長は五歳で落ち着き、十歳で止まる。

リクルは五歳時点で圧倒的に魔力量が不足していた。これ以上の進化は見込めないと判断したからこそ、完全に見限った。

だが、勝利したのはリクルだった。

圧倒的な魔力量を有し、それを完璧に操作するセンス。術式がないことを差し引いてもおつりがくる。

基礎的な体術と魔力操作だけで、本気のアトリを圧倒してしまえるほどの実力を有していた。

「いつからだ？」

当主である父は考えている。

確かに才能はなかった。見込みもなかったはずだ。いったいいつ、どのタイミングで劇的な成長を見せたのか？

なぜ今日まで、その姿を誰にも見せなかったのか。

そして……。

話し方、態度、表情までも……彼らがよく知るリクル・ビクセンではなくなっていた。

他人と接するたびに怯えて、常に劣等感に苛《さいな》まれた表情を見せていた姿はどこにもなく、不気味なほどによく笑う。

敵意を向けられようと、殺意を感じようと、剣を握り、振るう時以外は常に笑顔を崩さなかった。

その様子を思い返し、父は小さく呟く。

「……気味が悪い」

それが率直な感想だった。

自身の息子に対して向ける感情ではないが、それこそ今さらではある。父は今日までの日々を思い返し、いつの日からかリクルの態度に落ち着きが増したことに気が付いていた。

アトリにどれほど罵声《ばせい》を浴びせられても、涙も悲しそうな表情も見せずに、ニコリと笑い続けている姿を、何度も見てきた。

その度に、不快な不気味さを感じずにはいられなかった。それが今日、ハッキリとした感情となって現れた。

「あれは本当に……リクルなのか？」

　まるで別人のようだと思うようになっていた。

　彼の感覚は間違っていない。彼らが知るリクル・ビクセンは五年前に天へと旅立っている。今いる彼は抜け殻を借りた別人。

　幕末の世を剣と共に生きた武士、沖田総司《おきたそうじ》なのだ。

　彼が感じる不気味さは、生前の沖田総司が持ち得ていた特性に他ならない。彼は日常では子供と楽しそうに戯れる、自らも子供のような無邪気さと、明るさを有した男だったという。

　だが、一度剣を握れば別人のように修羅と化し、敵であれば容赦なく斬り捨て、そこに慈悲も悲嘆もない。

　盟友であり戦友、土方歳三《ひじかたとしぞう》曰く、もしも近藤勇《こんどういさみ》に出会うことなく、新選組《しんせんぐみ》として誠《まこと》の羽織を着ていなければ……沖田総司はただの人斬りになっていただろう。

　沖田総司には二面性があった。剣士としての彼と、それ以外の彼は、全くの別人だと言っても過言ではない。

　そんな彼は今、リクル・ビクセンという新しい一面を手に入れている。一つの肉体に、二つ……否、三つの人格が備わっているようなものだった。

実の親であり、少なくとも最も近くで見てきた父親だからこそ、余計に不気味さを感じずにはいられないだろう。

「アトリには悪いが、あれは私の手に余る。王都に、学園に任せる他ない」

リクルを王都の学園に通わせる選択は、彼を自らの下から遠ざけるがために。

不気味な存在を近くに置いておくことを恐れた彼は、より遠くへ、目の届かない場所へとリクルを追いやることを決めた。

だが、その心の中にはごくわずかに、息子を想う気持ちが隠されていたことを、彼らは知らない。

◇◇◇

「ふんっ、ふ!」

素振りは剣術の基本と言われている。ただ振り続けるだけの行為に意味があるのかと、試衛館《しえいかん》に入ったばかりの土方さんはよく文句を言っていた。

そんな彼に正論をぶつけて、努力こそが強さへの近道だと言い続けていたのが、同じく試衛館に入り浸っていた永倉《ながくら》さんだった。

土方さんも、なんだかんだ文句を言いながら素振りを続けていた。試衛館に来たばかりの頃は、剣術の基本もわからない素人だったのに。

たった数年で、天然理心流《てんねんりしんりゅう》の剣士として成長したことは、今でも凄いと思っている。よく、周りは僕のことを天才と言ってくれたけど、土方さんも天才の一人だったことは事実だ。

いいや、きっと僕以上にピッタリきていたのだろう。土方さんと、天然理心流の考え方は。

「お疲れ様です。リクル様」

「ありがとうございます」

素振りを終えた僕の下に、使用人の女性が近寄ってきて、綺麗なタオルを手渡してくれた。僕はありがたく受け取り、流れた汗を拭きとる。

「リクル様、もうすぐ朝食のお時間になります」

「わかりました。一旦部屋に戻ります」

「かしこまりました」

朝の修練を終えて自室に戻ろうとすると、使用人も後に続いた。寝室に戻った僕に、使用人は尋ねる。

「着替えはこちらに用意させていただきました」

「助かります。じゃあ着替えるので、外に出ていてもらえませんか?」

「ご命令とあらば、お着替えを手伝わせていただきます」

「いえ、自分でやれるので平気です」

「かしこまりました。何かございましたら、遠慮なくお申しつけくださいませ」

使用人の女性は丁寧にお辞儀をして、僕の部屋の外へと出て行く。バタンと扉が閉まり、一人になったことを確認して……。

「はぁ……疲れた」

盛大にため息をこぼした。朝の修練に疲れたわけじゃなくて、彼らがずっと近くにいる環境に疲れている。

アトリ兄さんとの決闘で勝利してから、この屋敷での僕への対応はがらりと変わってしまった。

これまで存在しないかのように無視されていたのに、今は専属の使用人が何人もいて、生活を支えてくれている。

おかげで快適な生活……とは、残念ながら思えなかった。

前世も含めて僕は、自分でやれることは自分でやってきたし、誰かに着替えを手伝わせたことはない。

慣れれば便利なのかもしれないし、これがこの世界での貴族の当たり前なのだろうけど、僕には違和感しかなくて、窮屈だった。

「これなら今まで通り、放っておいてくれたほうが楽だったかな？」

隠していた実力を見せてしまった弊害だ。

リクル本人なら、この変化に喜んでいただろうか……いいや、そんなことはなさそうだ。きっと複雑な気持ちになるだろう。

十年以上、酷い扱いを受け続けてきたのに、今さらよい待遇をされても、心の底から喜ぶことは難しいはずだ。

僕は一人で着替えを済ませて部屋を出る。使用人に案内されて、朝食をとるために食堂へと足を運んだ。

そこにはすでに、お父様が待っていた。

「おはようございます。お父様」

「ああ、おはよう、リクル」

以前は無視されていた朝の挨拶も、今は顔を合わせて返事が聞こえる。僕は決まった席につき、食事を始める。

「今日も訓練をしていたのか？」

「はい」

「そうか。よく努力しているな」

「ありがとうございます」

あの日以来、お父様の態度も変化した。使用人たちと同じく、僕を無視していた彼も、積極的に話しかけるようになった。

ただ、どことなく常に遠慮して、探るように話しかけている気がする。表面上は親子らしい会話だが、僕は作り笑いを浮かべ、お父様も本心を見せない。

ごっこ遊びみたいな風景だ。

「リクル、学園の入学試験まで二か月をきった。改めて聞くが、意思に変わりはないのだな？」

「はい。僕は学園に通い、騎士団に入ります」

あの決闘から一年と少しが経過し、僕も十五歳になった。

兄さんは去年、僕の代わりに地方警備隊に入隊している。出発の日まで、兄さんは僕を避けていた。

あんなことがあったのだから当然だし、これまで兄さんが僕にしてきた仕打ちに比べたらなんてことはない。

ただ、僕の我儘《わがまま》に付き合わされて、本来進むはずだった道を変えさせてしまったことには、少し罪悪感を抱いている。

願わくば兄さんにも、新天地で素敵な出会いや、変化がありますようにと、日々祈っていた。

「そうか……ならば馬車の手配をしよう」

「いえ、王都までは自分の足で行こうと思っています」

「なに？　ここから王都まで徒歩で行く気か？　馬車でも十日はかかる距離だ。疲労を考えても、徒歩ならその倍はかかってしまうぞ」

「わかっています。ですから、余裕をもって一か月前には出発しようと考えています」

お父様は食事の手を止め、僕を数秒じっと見つめてから問いかけてくる。

「なぜそんなことを考える？」

楽な方法があるのに選ばず、面倒な方法を取る理由を聞かせてほしい、と、お父様は続けて問いかけた。

当然の疑問だろう。貴族の人間が馬車も使わず、徒歩で王都に向かうことなんて普通は考えないのだから。

僕は食事の手を止めて問いの答えを口にする。

「この機会に、世界を見ておきたいのです」

「世界を?」

「はい。僕は生まれてからずっと、この屋敷で暮らしてきました。遠出はもちろん、近場ですら出歩く機会はありませんでした」

とか言いながら、本当は夜な夜な領地の端から端まで探索して、魔物や盗賊と戦っているのは内緒だ。

「騎士団に入れば、様々な地で剣を振るう機会もあるでしょう。その時、世界について何も知らなければ、肝心な場面で後《おく》れをとるかもしれません」

「今後を見据えて、先に領地の外を体感したい……ということか?」

「はい」

「屋敷の外は魔物もいる。悪の道に踏み入った人間もいるだろう。リクル、お前は貴族なのだ。彼らにとってお前は、格好の餌になる」

「理解しています。その上で、僕は世界を見て回りたいのです」

僕は笑顔に真剣な瞳を加えて、お父様と向き合う。僕はこの世界に生まれ変わって日が浅い。リクルも、屋敷の外に出る機会がなかったから、外の世界のことを知らない。

王都でやることは決めてある。その前に、この世界についてもっと知っておかなければならない。

「……護衛は必要か？」

「いえ、僕には剣があります」

「……そうか。そこまで覚悟しているのならば止めない。だが、十分に準備してから出発しなさい。必要なものはこちらで揃えておこう」

「はい。ありがとうございます、お父様」

僕はお父様に頭を下げる。

これでようやく、この窮屈な屋敷ともお別れだ。この世界に生まれ変わって早五年が過ぎ、身体も、力も、この手に馴染んできた。

少し気分が高揚している。

領地の外は、この世界はどこまで広くて、どんな不思議が溢れているのか。きっとワクワクしているのは僕だけじゃないはずだ。

◇◇◇

一か月後。

予定通り荷造りを終えて、僕は大きなカバンを背負う。屋敷の前でお父様と、整列した使用人たちが見守る中、いよいよ旅立つ。

「本当に歩いて行くつもりなのだな」

「はい。必要な物も揃っています。問題ありません」

「そうか……」

お父様の視線は、僕の左腰に差さっている獲物に向けられる。

「リクル、本当にその武器でよかったのか?」

「はい。用意していただけて感謝しています」

僕が腰に携えているのは木剣だ。ただし、訓練で使っていた普通の木剣ではなく、新しく僕が注文した特別製。

僕らの世界の人間ならば、一目で何かわかる。これは木剣ではなく、木刀だ。

「領地の外は危険も多い。身を守るためにも、ちゃんとした剣は持っておくべきだと思うが？」

「ご心配ありがとうございます。ですが平気です。僕にはこれが、一番しっくりきます」

用意してもらったのは形を整えただけの、ただの木刀だ。特別な能力はなく、もちろん刃もついていない。

木刀はあくまで訓練で用いるもので、実戦の真剣相手にはなんの役にも立たない。当然、僕もわかっている。けれどそれは、元の世界では……の話だ。この世界には魔力がある。

僕の魔力の性質は刃に似ているから、木刀も魔力を纏《まと》わせれば、真剣と変わらない鋭利さを手に入れられる。

斬ることができるのであれば、形が刀に近く、生前嫌というほど振るい続けた木刀のほうが戦いやすい。

欲を言えば、この世界でも刀を使いたい。天然理心流は刀の流派だ。王都に腕のいい鍛冶師がいることを期待しよう。

僕は改めてカバンを背負い直し、お父様たちに挨拶をする。

「それでは、行ってまいります」

「ああ、気を付けて行ってくるといい。良い成果を期待している」

「はい。頑張ります」

僕はお辞儀を深々と一回してから、すぐに彼らに背を向けて歩き出した。感慨深さも、名残惜しさも僕は感じない。

ほんの少しだけ、僕の中にあるリクルの魂の残り香が反応している。彼にとっては生まれ育った故郷を旅立つことだ。

僕も、試衛館を出て、京に向かった時は少しだけ寂しかった。けど、それ以上にワクワクもしていた。

この先に何があるのか。仲間たちと一緒なら、どんな困難も耐えられるし、一緒の楽しさも分かち合える。

今は一人でも、みんなを見つけて、必ずもう一度新選組で集まるんだ。そうすればきっと……。

「待っていて、みんな。すぐに行くから」

僕は自然と速足になっていた。

早くみんなに会いたい。生前の最期は心配ばかりかけていたから、元気に走り回る姿を見てほしいと思った。

だから僕は駆け出す。新しい世界で、新しい身体で、もう一度武士として生き抜くために。

◇◇◇

出発から一週間が経過する。

辺境の領地は大自然に囲まれ、山道が多かった。食事と睡眠以外の時間は、ほとんど休みなく歩き続けている。

この数年、体力をつけるために走り込みをしたり、呼吸法を見直したり、長距離移動に耐えられるように訓練してきて正解だった。

いかに魔力量が多いこの身体でも、結局は生身だから、歩き続ければ疲労は蓄積されていく。

「これも一つの修行だと思わないとね」

戊辰《ぼしん》戦争の初期、僕が病に倒れてしまってから、新選組のみんなの動向は、良順《りょうじゅん》先生たちが教えてくれた。

幕府が倒れ、後ろ盾がなくなったことで敗戦が続き、休む間もなく走り続けていたはずだ。

その時に仲間たちが味わった苦悩に比べれば、たかだか二十日程度、なんてことはない。

「あれから……みんなどうなったのかな……」

僕は歩きながら物思いにふける。

床に臥《ふ》せ、満足に起き上がることすらできなくなってからは、どんな話を聞いたのかも曖昧だった。

近藤さん、土方さん、永倉さん、一《はじめ》、左之《さの》さん……僕が倒れて戦えなくなるまで、彼らは生きていたはずだ。

その後、彼らがどんな道のりを歩んだのか、僕は知らない。知らないけれど、きっと甘い道のりではなかっただろう。

多くの仲間を失ったはずだ。僕たちの中に、寿命で死を迎えられることができた人間は、果たしているのだろうか。

誰一人として、平坦な道のりを歩くことはできなかっただろう。

「早く……会いたいなぁ」

会って話がしたい。あの後のことを、みんながどんな人生を歩んだのか教えてほしい。それから、最初に謝りたい。

僕がもっと強ければ、病なんかに倒れなければ、きっと守れた未来もあったはずだから。


みんなは馬鹿みたいに優しいから、きっと誰も責めたりしないし、謝ることなんて望まれていないだろうけど……。

それでも、ちゃんと謝りたかった。今度は大丈夫だからと伝え、安心してほしい。


「——！　なんだ？」

唐突に他人の気配を感じ取る。

一つや二つではない。バチバチと微かに音が聞こえて、焦げ臭いにおいが風に乗って僕の鼻をつく。

僕の予想が正しければ、盗賊か何かに襲われている可能性がある。この辺りに村があるのか？

一先《ひとま》ず僕は音が聞こえた方向へ走ることにした。近くで問題が起こっていると気づくと、身体が勝手に動き出す。

新選組だった頃の感覚が今も抜けきれていない証拠だ。

ここはもう、ビクセン家の領地でもない。僕がわざわざ関わる必要もないのだけど、やっぱり放ってはおけなかった。

十秒ほど走って音が激しくなり、人の声が聞こえてくる。

「ひゃっはー！　大量だぜ！」

「ちょろいな～　近道でもしたか？　こんな道通るほうが悪いんだぜぇ」

「……やっぱり」

思った通り、悪い人たちが集まっていた。村ではなく、おそらく行商人が乗っていた馬車が襲われたのだろう。

残念なことに、行商人はすでに殺されてしまっている。気づくのが遅かった。もっと早くかけつけていればあるいは……。

「ん？　おい、なんかガキがいる。しかもあの身なり、そこそこ金持ってそうじゃねーか？」

「なんだ迷子かぁ？　おいおい、今日はついてるじゃねーか」

下品な笑い声が森の中で響く。

どこの世界にもいる。私利私欲のためだけに人を殺《あや》め、理不尽に未来を奪ってしまう悪い人たちが。

「おいガキ、その荷物を置いてくなら見逃してやってもいいぜ？」

「……」

「あ、もちろん服も脱いでいけよ？　ガキのパンツでもほしがるやつはほしがるからなぁ」

「……本当に、同じ人間とは思いたくありませんね」

「あ？　何い……た……？」

僕に話しかけていた男が、ゆっくりとその場に倒れ込んだ。盗賊たちはキョトンとした表情を見せる。

「おい、どうした？」

「……」

「何急に寝てやがんだ？　昨日飲みすぎたか？　だから酒はほどほどにしとけってあれほど……!?」

盗賊たちは気づく。倒れたのは酒のせいでも、眠っているわけでもない。もう二度と、倒れた男は目覚めないことを。

うつぶせに倒れた身体から、だらだらと大量の血液が地面にしみ込んでいた。

ポタっと、僕の木刀の切っ先から、血が流れ落ちる。

「て、てめぇ！」

「すみません。あなた方に恨みはありませんが、こういうのは見過ごせない性分なんですよ」

僕はニコリと微笑み、盗賊たちに警告する。

「早く構えたほうがいいですよ？　じゃないと……抵抗もできずに終わりますからね？」

「――⁉　お前ら武器をとれ！」

僕が笑顔と共に放った殺気を感じ取り、盗賊たちは慌てて武器をとり、構え始める。僕は背負っているカバンを木陰に放り投げた。

「数は十……十二ですか。じゃあ十秒もかかりませんね」

「なめてんのかクソガキが！　大人をからかったこと後悔させてやる！」

「そうですか。では、どうぞかかってきてください」

僕はあえて隙を見せるように、木刀の切っ先を下げ、胴体と顔面を晒す。挑発に乗った盗賊たちは一斉に襲い掛かってくる。

「遅すぎますね」

「がっ！」

「ぐおっ、う……」

「な、なにが起こっ――」

僕は瞬時に武器ごとへし折り、迫って来た盗賊たちを悉《ことごと》く斬り裂いた。木剣の刀身に魔力を纏わせることで鋭利さは増し、真剣と同様の切れ味となる。

ちゃんと手入れのされていない可哀想な剣なんて、簡単にへし折ることができてしまう。

次々に仲間たちが倒れていく様子を見ながら、盗賊たちは怯え始めていた。

「なんだ……なんだこのガキ、化け物か？」

「心外ですね。やっていることだけなら、あなた方のほうがよっぽど人外の行いに近いですよ？」

「ふ、ふざけんな！　こんな奴相手にしてられるか！」

「あ、ちょっと！」

残った盗賊が逃げようと、僕に背を向けて走り出そうとした。僕は瞬時に駆け出し、逃げようとした方向に回り込む。

「なっ……」

「ダメじゃないですか。仲間を置いて逃げるなんてよくありませんよ」

「う、うるせぇ！　自分の身が優先なんだよ！　そんなの当たり前だろうが！」

どんな理由、目的であれ、共に背中を預け合い死線を潜り抜けて来た仲間を見捨てることが普通だと言っている?

「ありえないですね」

「当たり前?」

「は……へ?」

刹那《せつな》の一撃を繰り出し、盗賊の首はころんと地面に落ちる。まるで斬られたことに気づくのが遅れたように、胴体は遅れて倒れ込んだ。

「一度背中を預けたなら、信じて最後まで戦い抜く。それができない癖に、武器を持たないほうがいいですよ?」

少し苛立って、必要以上の力で斬ってしまった。特に後悔はしないけど、森を血で汚してしまったことは申し訳ないと思う。

僕は木刀を腰に戻し、壊れている荷車に近寄る。馬は襲撃の時に逃げたのだろうか。手綱を握りしめたまま、行商人らしき人は亡くなっていた。

「すみません……僕がもっと早く着いていれば間に合ったのに」

僕は死体の眼を閉じさせ、仏様に両手を合わせる。罪のない人間でも、こうして悪い人に殺されるかもしれない。

そんな理不尽さは、世界が違っても変わらない。だからこそ、新選組のように悪を抑圧する存在は必要なのだと、改めて思う。

もちろん、目的のために人を殺すことを迷わない僕たちも……決して正義とは呼べないだろう。

「――！」

気配がもう一つ近づいてくる。まだ盗賊の生き残りがいたのか？

それとも増援を呼んだのか。どちらにしろ、こちらに殺意を向けているのは明白で、僕はすぐに木刀を抜いた。

振り返った直後、木の影から飛び出してくる。

僕はその一撃を木刀で受け止め、鍔《つば》迫り合いになる。

「――チッ、受けやがったな！」

「……女の子？」

襲い掛かってきたのは赤い髪が特徴的な女の子だった。けど、一番驚いたのはそこじゃない。

彼女が持っている武器……あれは――

「刀⁉」

僕は咄嗟《とっさ》に彼女を押し返す。力で押し負けた彼女は後ろに跳び、クルリと空中で一回転して華麗に着地してみせた。

「お前……細いくせに力は強いみたいだな」

「……」

彼女が再び武器を構える。改めて見ても、刀にしか見えない。鞘《さや》や鍔の形状は独特で、見慣れた刀とは異なる。

ただし刃の形状はまさしく刀のそれだ。木刀で受け止め、近くで見た感覚も、これまで幾度となく見てきた刀に違いなかった。

「どういうことだ？」

「は？」

この世界に刀の概念はない。ビクセン家の書庫で調べた限り、刀というものはどこにも存在していなかった。

この世界には刀がないと思っていたのに、今、目の前には刀によく似た武器を持つ女の子がいる。

一つの可能性が脳裏に過《よぎ》った。

まさか……思いついたらどうしても、尋ねずにはいられない。僕がごくりと息を呑んで、彼女に問いかける。

「君……もしかして、同郷だったりしないかな？」

「は？　何言ってんだお前？」

「僕と同じで、生まれ変わりだったりしないかな？」

「……」

僕は注目し、期待する。彼女の数秒の沈黙が破られる瞬間を待ち望む。こんなにも早く、仲間の手掛かりがつかめるかもしれない、と。

だけど……。

「お前……頭おかしいんじゃないの？」

「――！」

女の子の反応は、期待していたものではなかった。彼女は心から呆れて、やれやれと首を振っている。

「生まれ変わり？　なんだそれ、新手の口説き文句か？　言っとくけど、あたしはそんな安い言葉にひっかかるような女じゃないぜ！」

「……そう」

違うのか？

同郷かもしれない。もしかしたら、僕の仲間の誰かかもしれないと期待したけれど、この反応は人違いだ。

落ち込む僕に、彼女は切っ先を向けて言い放つ。

「ったく、変なことばかりいいやがって！　やっぱ人殺しの盗賊野郎は頭がいかれてるんだなぁ！」

「……え？　盗賊？」

「惚《とぼ》けるなよ！　この人たちを殺したのはお前だろ！　さっきの見てたぞ！　逃げるそこの男の首を刎《は》ねた！」

「……いや、いやいやいやいや！　違うよ！」

どうやら彼女は大きな勘違いをしているらしい。女の子だった時点で、盗賊の仲間ではないと思っていたけど、まさか逆に僕は盗賊だと思っているのか？

「何が違うんだよ！　逃げる弱い人間を殺した！　これ全部、お前が一人で殺したんだろ！」

「いや、えっと、確かにほとんど僕が斬ったけど」

「やっぱりそうだ！　嘘つきは嫌いなんだ！　弱い者いじめする奴はもっと嫌いなんだよ！」

「ちょっ、ちょっと待って！」

女の子は僕の話を聞くことなく、刀を構えて襲い掛かってくる。止める暇もなく、僕は応戦するしかなくなった。

彼女は刀を豪快に振り下ろす。僕は半身になって回避した。

「くそっ、躱《かわ》したか！」

「落ち着いて！　僕は盗賊じゃないよ？」

「嘘つくな！　頭のおかしなことばっかり言ってるくせに！」

今度は振り下ろした刀を斜めに振り、僕が躱した方向へ攻撃を繋ぐ。僕は後ろに跳び避《よ》ける。

女の子は構わず次の攻撃に繋げ、躱す僕を追い続けていた。

「逃げてんじゃねぇよ！」

「いいから落ち着いて！　刀を納めてくれないかな？」

「刀？　なんだよそれ！　また変な言葉であたしを惑わそうっていうのか？　そんなの効かねーよ！」

彼女は全く止まらなかった。

刀という単語は通じていないし、どうやら彼女はあれを刀とわかって振るっているわけではないようだ。

どうやって手に入れたのだろう。そもそも、どうやって作られたのか。刀の概念がないのに、刀に行きついた人間がいる？

その誰かこそ、僕と同じようにこの世界で生まれ変わった人間かもしれない。彼女には聞きたいことがたくさんある。

落ち着いてほしいけど、これじゃ永遠に落ち着いてくれそうになかった。

「はぁ、仕方ないな」

悪人なら女の子相手でも躊躇《ちゅうちょ》はないけど、彼女は僕を盗賊と勘違いして攻撃しているし、きっと悪い子じゃない。

あまり気乗りしないけど、一度手を止めてもらうためには、まずは刀を、武器を奪ってしまおう。

彼女の左足が前に出たと同時に、僕は右足で踏み込む。

「うおっ！」

「ごめんね」

天然理心流【左足剣《さそくけん》】。本来ならこのまま斬りつける技だけど、僕はそのまま彼女の手元に手を伸ばして刀を奪う。

つもりだった。

「──!?」

「っあっぶねーな」

「……」

ポタポタと……血が流れる。刀を奪おうとした左手の平から出血していた。僕は流れる血を見ながら思い返す。

今、刀を奪われそうになった瞬間、彼女は咄嗟に刀を引き、刃の方向を僕の手に向くように調整した。

明らかに後手、咄嗟の判断による行動だった。僕は出血した左手を強く握る。

「すごい反射神経だ」

「なんだよ？　やっとやる気になったのか？」

無意識に、僕は笑っていた。

多少の油断はあったにしろ、僕の動きに迷いはなく、本気で彼女の刀を奪うつもりでいた。その動きに反応され、斬られた。

久しぶりだ。

この感覚、刃に斬られる痛み……流れる血。労咳《ろうがい》になって床に臥せ、この世界に生まれ変わってから一度も味わうことのなかった負傷の痛み。

ああ、気持ちが勝手に高揚している。

僕の身体に刃を届かせた人間は、今まで数えるほどしかいない。だからこそ、うずき始める。

僕の中に住んでいる剣の鬼が、歓喜に震える。

「ダメだって……わかっているんですけどね……」

僕の手は自然と木刀に向く。理性が止めようとしている。ここで戦うことに意味はなく、争うのではなく話し合うべきだとか。

そんな理屈を、本能が全否定してしまう。土方さんやみんななら、僕のこの気持ちをきっと理解してくれるだろう。

僕は木刀を構えた。

「続きを始めよう」

「なんだよその眼……悪者の癖に、楽しそうな顔をしやがって、気に入らねーな！」

彼女は叫び、真正面から突進してくる。身体能力と反射神経に物を言わせた剣技だ。おそらく型はなく、我流だろう。

剣術と呼ぶには幼稚で、ただがむしゃらに刀を振り回しているだけだ。だけど、類まれなる反射神経の良さと、身体能力の高さで、剣術の未熟さを補っている。

「本当に凄いな。反射神経なら僕以上だよ」

「急に褒めてんじゃねーよ！　悪者に褒められてもうれしくないし、そもそも全然当たらねーし！」

「それは当然、当たったら斬られるからね」

「こいつ……」

女の子は苛立ちを露《あらわ》にしながら、一心不乱に刀を振るう。思わず笑ってしまう。なんだか懐かしい感覚だ。

「くっそ、なんで当たらないんだよ！」

「動きが単調すぎますよ。いくら速くても、来る方向がわかっていれば躱すのは簡単ですから」

「なんだとぉ！　だったらこれでどうだ！」

女の子は地面をつま先で蹴り上げ、砂をまき散らす。

砂による目くらましか。

「とったぜ！」

「——悪くありませんでしたよ」

「なっ……」

彼女の刃は振り下ろされる前に止められた。僕の木刀の柄の部分で、彼女の刀の柄を押さえている。

どんなに鋭利な刃物でも、持ち手を押さえてしまえば振り下ろせない。

「ただ、そういう手は慣れているので」

「くっ……」

咄嗟に彼女は右脚で蹴りを放ち、僕の足を払おうとする。僕は狙われた片足を引き回避したけど、その隙に彼女は離れてしまう。

「いい動きですね」

「この……絶対泣かせてやるからな！」

やっぱり懐かしい感覚だ。

ずっと昔、僕らが新選組になるよりも前のこと……初めて、土方さんが試衛館道場にやってきた。

あの頃の土方さんは、とにかく悪ガキって感じで、強くなること以外に興味がない人だった。

戦い方も似ている。あの頃の土方さんは剣術を習う前で、基礎も無茶苦茶で、ただ才能で刀を振り回していただけだった。でもその分、勝つための発想力とか、手段を選ばない戦法には、僕や近藤さんも驚かされていたっけ。

誰よりも強くなるために、自分よりも強いかもしれない相手と戦いたい。強者と剣を交える度に歓喜し、強くなっていく。

そんな土方さんの生き方に、近藤さんやみんなも惹かれていった。悔しいけど、僕もその一人だったよ。

「似ているなぁ、あの頃の土方さんに」

「余裕ぶってんじゃねーよ！」

「──っと！」

今の一撃は危なかった。

さっきよりも動きがよくなっている。動きに無駄が減ってきて、足運びも素早く、正確になりつつあった。

「よし、もうちょっとで届きそうだな」

「……そうか」

彼女は反射神経だけじゃない。眼もいいんだ。僕の動きを観察し、無意識に自分の動きに取り入れている。

センス任せの剣術でここまでやれるなんて……才能の塊だ。彼女が剣術を学んだら、一体どんな剣士になるのだろう。

将来が楽しみだな。

「君になら、見せてもいいかもしれませんね」

「は？　何を……」

僕は意図的に数歩下がり、彼女と距離をとって構えなおす。

左足を後ろに引き、右足を前に出した半身の姿勢で、刀を右に開き、刃は内に向けて相手の左眼に切っ先を向ける。

天然理心流において基本となる構え——平晴眼《ひらせいがん》。

「なんだよその構え？　これから突きますよって気満々じゃねーか」

「さぁ、どうでしょうね」

「なめてんのか？　そんな丸わかりな構えされて、あたしが対応できないとでも思ってんなら……甘いんだよ！」

彼女は勇敢に飛び込んでくる。

本来、突き技は一度放てば後がない。しかし、この平晴眼の構えから放たれる突き技は、仮に回避されても次の一手に繋げられる。

突きを回避された刀をそのまま横に凪《な》ぐことで、相手の首を狙うことが可能となる。それこそが平晴眼の構えの利点。

もっとも、今から僕が放とうとしている技に、その原理は当てはまらない。なぜなら、躱されることなどありえないから。

とくとご覧あれ。

かつて僕だけが習得できた技。近藤さんにも、土方さんにもたどり着けなかった天然理心流の奥義。

その名は——

「無明剣《むみょうけん》」

「——!?」

弾かれた刀が宙を舞い、地面に突き刺さった。

僕の木刀の切っ先は、彼女の喉元に当たり、そのまま後ろに倒れ込む。

「がはっ、ごほっ……」

「……本当に、眼も反応速度もいいですね」

僕が突きを放った瞬間、彼女は咄嗟に刀の向きを変えて、刀と自身の喉元を守るように構えた。

あの一瞬で、僕の攻撃の狙いが喉だと気づいたらしい。反応は悪くなかった。けれど、突きは彼女の喉に届いた。

「ごはっ……う……なんで……防御したのに……」

「確かに防がれました。けど、君が防いだのは一撃目だけですよ」

「まさか……」

「僕の無明剣は、三段突きですから」

天然理心流奥義、無明剣。本来は籠手《こて》、胴、頭を順に突く技だけど、今回は喉だけに絞って攻撃した。

見ている者には一度の突きにしか見えないほど素早い三段突きは、仏に祈る暇すら与えることなく相手を突き殺す。

故に、無明剣と名付けられた。

「これが剣術ですよ」

「剣術……すげぇな……」

女の子は立ち上がる。魔力を込めなかったとはいえ、二撃は確実に喉に当たったはずだ。しばらく痛みで呼吸も上手くできないはずなのに……。

彼女は笑っていた。

「そんな技見たことねぇよ。まだあんのか？　他にも、凄い技！」

「……はい。剣術に終わりはありません。様々な流派があり、それぞれに極意があり、奥義がありますから」

彼女は瞳を輝かせる。まるで、新しいおもちゃを前に喜ぶ子供みたいに。無邪気な笑みの中からは、とっくに怒りは消えていた。

本当によく似ている。

「見せるのは構いませんよ？　でも、その前に僕の話を聞いてくれませんか？」

「なんだよ。勿体ぶるなよ！　もっと見せてくれ！　剣術ってやつを！」

「ははは、本当に……」

ふと一つの可能性に気づく。

僕はこうして、リクル・ビクセンの身体を器にして蘇った。生まれ変わりとは言ったけど、行われたのは魂の交換だ。

これはリクル自身が持っていた術式によって起こった奇跡であり、誰もが起こりうることではない。

だったら、僕のほうが例外で、普通は生まれ変わると、まったく違う誰かになるのではないだろうか。

過去の記憶は消えて、新しい自分として生まれ変わるのであれば、身に付けた力も、技術も失われていても不思議じゃない。

彼女はあまりにも似ているから、そんなことを考えてしまった。

もしかしたら、今、目の前にいる彼女こそが……と。

◇◇◇

「じゃあ本当に盗賊じゃなかったのかよ」

「そうですよ。盗賊はこの倒れている人たちです。僕は偶然通りかかって、盗賊を退治していたんですよ」

ようやく落ち着いて話ができるようになって、彼女に事情を説明した。するとあっけないほど簡単に納得してくれた。

「なんだよ、あたしと同じじゃんか。悪かったな。疑って」

「大丈夫ですよ。お互いに怪我がなくてよかったです」

「……いや、怪我ならさせちゃっただろ？　ほら、手の平の切り傷」

「ああ、そういえばそうでしたね」

戦闘中に構わず握り続けていたから、圧迫でとっくに出血は止まっていた。痛みも気にならなかったから、怪我をしたことすら忘れていた。

「これくらい平気ですよ。もう血も止まってます」

「そうか？　ならいいけど」

「はい。それに僕も、君の喉を突きましたから」

「そういやそうだな。なんだよさっきの突き！　一撃にしか見えなかった！　あんな凄い技初めて見たぜ！」

「僕も驚きましたよ。初見で一撃でも防御されたのは初めてでしたから」

一度は本気で殺そうとしていたことも忘れ、彼女は無邪気に笑う。僕もなんだか気が抜けて、一緒になって笑顔を見せる。

「お前、見た目は弱そうなのに凄いな！　あたしはレーナ！　よろしくな！」

「僕はリクルです。君こそ、女の子とは思えない動きでした」

僕たちは握手を交わす。

こういう感覚も懐かしい。戦いを通してお互いのことを少しだけ理解して、多くを語らずとも、いつの間にか友人になる。

彼女の正体はもしかしたら……という疑問は置いておこう。
今はただ、この世界に来て初めて友人ができたことを、素直に喜びたかった。

第三章　都の学び舎

「え？　なんだよ！　お前も王都に向かう途中だったのか？」

「そうですよ。王都にある学園に入学するために」

「目的まで一緒じゃん」

「じゃあ君も？」

「おう！」

彼女は自分の胸をとんと叩き、堂々と胸を張って自慢げに答える。

「あたしも王都にあるでっかい学園に入りたいんだ！」

「じゃあ一緒ですね。目的地が同じなら、このまま一緒に行きませんか？」

「そうだな。弔いも終わったし」

「はい」

盗賊に殺されてしまった行商人と、僕が殺した盗賊たち。彼らの死体を簡易的だけど埋葬して、お墓を作った。

行商人はともかく、盗賊のお墓まで作ってあげる必要はなかった気もするけど、彼女曰く、死ねば善人も悪人もないからと。

「意外と真面目なんですね」

「なんだよ。馬鹿にしてんのか？」

「褒めているんですよ」

「そうか？　じゃあいいや！」

彼女は無邪気に笑う。学園に入るのが目的なら、年齢は一緒だろう。十五歳を過ぎたとは思えない子供っぽさだ。

けれど一度戦闘になれば、その表情は一変する。そういうところは土方さんより、僕に似ているかもしれない。

だからこそ、余計に彼女の存在に共感してしまう。

僕たちは目的地に向かって歩き始めた。歩き出して早々、僕は疑問に思っていることを彼女に尋ねる。

「聞いてもいいですか？」

「なんだよ」

「その刀、いや、剣はどうしたんですか？　あまり見かけない形状ですけど」

「こいつか？　こいつはあたしのオリジナルだ！」

オリジナル？

その言い方だとまるで……。

「君が作ったんですか？」

「そうだぜ！　すげぇだろ？」

「すごいですね。その若さで鍛冶師《かじし》だったんですか」

「違うぜ。こいつを作ったのはあたしだけど、あたしは鍛冶師じゃない。一応、魔術師だ」

彼女は歩きながら、右の手の平を上に向ける。すると、小さな光の粒子が現れ、手の平の上に集まり、形を変える。

僅か数秒で、光の粒子は実体を持ち、一振りのナイフとなっていた。

「これは……」

「こいつがあたしの術式。魔力を固めて剣を作ることができる。形状はあたしがイメージした通り。硬度と切れ味は、消費する魔力量で変化する」

「すごい術式ですね」

「どこがだよ？　ただ剣を作れるだけだ。形は自由だけど、特別な能力は付与できない。わざわざ魔術を使わなくても、鍛冶師がいれば解決する。そういう魔術以外で簡単に代用できる術式をどう呼ぶか知ってるか？　ハズレ術式だよ。あたしのはモロにそれだ」

レーナはため息をこぼしながらそう語った。確かに、この世界の常識からすれば、彼女の術式はハズレだろう。けれど、剣士である僕からすれば、彼女の術式ほど羨ましいものはない。

「十分に凄いですよ。形や切れ味を自分で選び、剣を作ることができる。剣士にとっては喉から手が出るほどほしい力です」

「そ、そうか？」

「はい。僕は羨ましいですよ」

「え、えへへへ。なんか照れるな。初めてだぜ。あたしの術式を聞いて、そんな風に言った奴はさ」

彼女はなんだか照れくさそうに、けれどすごく嬉しそうな表情を見せる。どうやら彼女は表情や態度に現れやすいみたいだ。

そういうところも、昔の土方《ひじかた》さんによく似ている。

「そういや、お前がさっき使ってた剣！　あれもこいつと似た形してるよな？」

「ああ、これですね」

僕は腰に差している木刀に触れる。彼女は木刀をまじまじと見つめながら、あることに気づいた。

「これ木じゃねーか！」

「今さら気づいたんですね……」

「だってお前、さっきこれであたしの剣を受け止めてたじゃん！　あ、でもあたしの首が平気なのは木だからか」

驚いたり納得したり、せわしなく表情をコロコロ変える彼女を見ていると、少し愉快な気分になる。

本当は、自分の手の内を誰かに晒すことはよくないのだけど、彼女にになら教えてもいいかな、という気持ちになった。

僕は木刀を腰から抜いて、刀身に魔力を纏《まと》わせて見せる。

「こうやって、魔力を表面に纏わせ循環させていたんですよ」

「そんなことできるのか！　すごいなお前！」

「いえ、これくらいやらないと張り合えないんです。僕には、術式がありませんからね」

「――！」

笑顔でそう伝えた僕に、彼女は目を丸くして驚いていた。

「そうだったのか」

「はい。だからこそ、君の術式は羨ましいですよ。自分好みの剣を作れるなんて、僕からすれば夢のようですから」

「……よっしゃ！　リクル！」

「はい？」

突然、彼女は僕の名前を呼んで立ち止まった。僕はキョトンとしながら振り返ると、彼女は両手を腰にあて、堂々とした風貌で僕に言う。

「お前が好きな剣！　あたしが作ってやるよ！」

「――本当ですか？」

「おう！　あたしのこと、褒めてくれたお礼だ！」

「ありがとうございます！」

この世界でも刀を握ることができる。そう思うと興奮して、思わず彼女の腰の手を握り、力強く縦に振る。

「お、おい、喜びすぎだって」

「あ、すみません。つい興奮してしまって。痛かったですか？」

「別に。けど、やっぱりお前も男なんだな？　あたしと違って、強くて硬い手だなーって思った」

「毎日剣を振っていますからね。そういう君も、剣士の手でした」

剣を握り続ければ、手の平に豆が何度もできて、潰れて固まるごとに、どんどん固くなっていく。いつしか人の手は、剣士の手へと変わる。

彼女が僕の手の平をそう感じたように、僕も彼女の手に触れて同じことを思った。女の子らしい柔らかさの中に、剣士として研鑽《けんさん》を積んだ証拠が刻まれている。彼女も紛れもなく、一人の剣士だ。

「ありがとな。お前、いい奴だな！」

「そんなことないですよ」

久しぶりに他人と接して、楽しい気分になる。彼女の底抜けな明るさと、どことなく旧友に似ている部分が重なっている影響だろうか。

王都までの道のりはまだまだ遠い。道中で彼女と偶然にも出会えたことは、本当に幸運だったかもしれない。

「そんじゃ作るからさ！　欲しい剣の形とか、大きさと重さ、あとは見た目も要望があったら教えてくれ！」

「そうですね。じゃあ絵に描きます。ちょっと待ってもらえますか？」

「おう、いいぜ！」

僕はカバンから紙と筆を取り出す。これから学園で学ぶからと、勉学に必要な道具は一式揃っていた。

僕が求める武器はもちろん刀だ。彼女の術式は、イメージした形状を再現することができるらしいから、ちょっと欲張ってみよう。

僕が一番ほしいのは、刀の中でも前世で死闘を共にしてきた愛刀。今回お願いするのは、二振りのうちの一振り。

名を、『加州清光《かしゅうきよみつ》』。池田屋での戦闘時に壊れてしまい、修復不可能になってしまった僕の愛刀の一振りだ。

本当はもう一振り、『大和守安定《やまとのかみやすさだ》』もほしいところだけど、さすがに初対面の彼女に二つも強請《ねだ》るのはよくないかなと思った。

せめてもう少し仲良くなったら、改めて頼んでみることにしよう。

「できました」

「おう。見せてくれ」

僕は欲しい刀の形状や、特徴などを記した紙を彼女に手渡した。その紙を見て彼女は一言。

「お前……絵心は皆無だな」

「うっ……そうですか」

自覚はしているけど、他人に言われると恥ずかしいものがある。僕には昔から、戦うこと以外の才能はからっきしだった。

どうやら生まれ変わったこの世界でも同じらしい。

「まぁいいや。欲しい情報は揃ってるし、問題なく作れるぜ！」

「よろしくお願いします」

「おう。じゃあちょっと集中するからさ。大丈夫だと思うけど、周りに何か来たら頼んだぜ？」

「はい、もちろん。君は僕が守ります」

「お、おう！　頼んだぜ！」

レーナは少し恥ずかしそうに頬を赤らめて、地面に腰を下ろした。座禅のような姿勢をとり、両手を腰の上あたりで揃え、何かを持つような姿勢をとる。

そうして目を瞑《つむ》り、大きく深呼吸をしてから、彼女は術式を発動させた。

光の粒子が彼女の身体からあふれ出ている。おそらくは術式によって可視化された彼女の魔力だろう。

あきらかにナイフを作った時よりも粒子の数が多く、一つ一つが大きい。僕のために、たくさんの魔力を使ってくれている。

あふれ出た粒子は彼女の手元に集まっていく。まるでホタルの群れを見ている気分だ。昼間なのに明るくて、一つ一つがまばゆい。

「綺麗だ」

ぼそっと、感想を漏らす。

レーナの頬が赤くなった気がするけど、光の粒子が邪魔をしてよく見えなかった。

集まった光の粒子は、僕がよく知る形状へと整っていき、形が定まると、色がつき、刃が鈍色《にびいろ》に光る。

最後に刃を納める鞘まで生成され、彼女の手元に懐かしき一振りが完成した。

「ふぅ……完成したぜ」

「……」

「どうだ？　イメージした通りか？」

「……はい。完璧です」

見た目はまさに、僕がよく知る愛刀『加州清光』だった。彼女は立ち上がり、僕に刀を手渡す。

ずっしりと感じる重さ、握った時の手に伝わる感覚。鞘《さや》走りの速度、鈍色に光る刃の造形……どれも、僕が知っているそれだ。

僕は刃を眺めながら、思わず涙が出そうなほど感動してしまう。あの日、壊れて使えなくなってしまった僕の愛刀が、世界を越えて蘇った。

「ありがとう……本当に……」

「な、なんだよ。そんなに喜ばれると照れるじゃん。要望通りには作ったけどさ？それもただの剣だぜ」

「わかっています。でも、剣士にとって剣は、自身の分身に等しいですから」

もう二度と、握ることも振るうこともできないと思っていた僕の愛刀。病に侵されて剣すら握れなかった頃の思い出が脳裏に過《よぎ》る。

刀は折れれば使えなくなる。人間だって、病に倒れたら戦えない。僕たちは互いに壊れてしまったから、別々の場所で朽ちるのを待った。

今、こうして再会を果たしたのも、何かの運命なのかもしれない。

「大事に使わせてもらいますね」

「おう。とびきり魔力は多めにしといたからさ。そうそう下手な使い方しない限りは刃こぼれもしないぜ！　もし壊れても、あたしに言ってくれれば直せるから」

「はい。本当に感謝しています」

彼女は笑みをこぼしながら、額からは汗を流し、呼吸が乱れていた。魔力はこの世界の人間にとって身体の一部であり、使えば当然疲労する。

相当な魔力を込めてくれたのだろうことは、刀を作る光景を見ていて感じとれた。

「レーナさん、何か僕にできることはありませんか？　こんな素敵なものを作ってもらって……何かお礼がしたいです」

「いや、いやいや、それがあたしからのお礼だから。お礼にお礼を返すって意味わかんないって」

「そう言わないでください。これだけの物に見合うだけの対価を僕は支払っていません。このままじゃ、僕の気が済まないんです」

「変な奴だな。もらっときゃいいのに。うーん……」

彼女は唸りながら、胸の前で腕を組んで考えていた。なんでもいい。彼女が望む

ものが早く知りたくて、少しだけ前のめりになる。

彼女は考えながら閉じていた瞳を開き、組んでいた腕を解いて、僕が持つ刀に指をさす。

「よし！　じゃあそれの使い方、教えてくれよ！」

「刀のですか？」

「おう！　なんかよくわかんないけど、お前はあたしよりそいつに詳しいみたいだしな！　戦ってわかったけど、お前の動きはなんか違った！　だから、あたしに教えてくれ！　そうすればあたしは、もっと強くなれる気がするんだ！」

彼女は笑顔で拳を握る。

その言葉に、声に、僕の心は震え、躍らされる。

「――いいですよ、教えましょう」

「本当か？」

「はい。僕も見てみたいんです。君が剣術を学んだら、どこまで強くなれるのか……強くなった君と、もう一度戦いたいと思います」

「いいなそれ！　あたしも、負けっぱなしは嫌だからな！」

底抜けに明るい彼女を見ていると、こっちまで楽しくなってくる。僕は彼女に右手を差し出す。

「改めて、よろしくお願いします」

「おう！　こちらこそだな！」

僕たちは握手をする。経緯や形は違うかもしれないけど、僕にとって初めて、弟子と呼べるような人ができた瞬間だ。

「ついでに魔力の扱い方も教えてくれ！　あたしそっち方面苦手なんだよ」

「もちろんいいですよ」

「よっしゃ！　これで騎士になれる可能性があがったな。幸先いいぜ」

「君も騎士団を目指しているの？」

「おう。あたしの術式じゃ魔術師団にはどうやったって入れない。でも、騎士団なら関係ないからな！」

僕と同じようなことを考えている。

気になった僕は、彼女がどうして騎士団を目指しているのか知りたくなり、続けて尋ねる。

「どうして騎士団に入りたいんですか？」

「強くなるためだぜ！」

「強く？」

「おう！　あたしはもっと強くなりたいんだ！　騎士団に入れば、いろんな奴と戦える機会も増えるだろ？　だから入ろうかなって」

僕は素直に感心した。普通、騎士団に入りたい人間の思考は、市民を守りたいからとか、名誉が欲しいとか。

本当は魔術師団に入りたいけど、難しそうだから仕方なく……みたいな理由の人が多い、と勝手に思っている。

「強くなりたいから……か」

きっと、それが彼女にとって剣を振るう理由なのだろう。本当に、どこまでも似ている。僕たちもそうだった。

まだ新選組《しんせんぐみ》なんて言葉すら浮かんでいない頃、試衛館の道場で毎日剣を振るったのは、ただ強くなりたかったからだ。

僕も、近藤《こんどう》さんも、土方さんも……他のみんなもきっと。

「どうして強さを求めるんですか？」

「ん？　そんなの深く考えたことなかったな～」

「……」

「けどさ？　弱いままじゃ、死んでるのと何も変わらないだろ？　あたしは戦ってる時が一番生きてるって感じがするんだよ」

その気持ち、よく理解できる。僕もそうだった。剣を握り、戦いに身を置いている時こそ、一番生を実感できる。

仲間と一緒にのんびり過ごしていた時間も悪くなかった。けれど、心の底から昂ぶり生きていると思えたのは、剣撃の中にいる時だった。

端から見れば、僕たちは大バカ者たちの集まりだった。もはや剣は時代遅れと言われ、どれほど剣術を磨いても天下は取れない。

そうだと理解しながら、僕たちは剣士であることを止めなかった。ひたすらに、がむしゃらに強さを求めた。

そこに、綺麗で明確な理由なんてない。ただ、強くなりたかった。誰よりも強くなって……そう、最強を目指していたんだ。

「そっくりだなぁ」

「ん？　誰にだ？」

「僕の大切な仲間たちにですよ。昔、同じことを言っている人がいたんです」

「へぇ！　そいつとは馬が合いそうだな！」

僕はニコリと微笑んで同意する。もしも彼女が……いいや、仮に別人だったとしても、ぜひ出会ってほしいものだと。

きっと彼女の言う通り、馬は合うだろうから。

「お前の仲間ってことはさ？　そいつらも強いのか？」

「はい。強いですよ。白兵戦なら、僕たちは誰にも負けません」

「言いきるじゃんか。それならいつか、あたしも戦ってみたいな！　会える日を楽しみにしてるぜ」

「そうですね。僕も……早くみんなに会いたいです」

話したいことが、盛り上がれそうな話題がまた一つ増えた。

こうして一人旅は偶然の出会いから二人旅となり、一緒に王都へ向かうこととなった。

道中、彼女といろんな話をした。

彼女は僕が暮らしていた領地よりもさらに北側にある小さな村で生まれ、独学で剣術を身につけたらしい。

どうして剣術なのか。何かきっかけがあったのかは、彼女自身忘れてしまったらしくて、そこまで重要なきっかけはなかったようだ。

彼女の身に宿している術式が、剣を作るだけの能力だったこともあるだろう。彼女が進むべき道は、最初から決められていた。

そうして剣士としての修練を積み、学園に入学するために村を旅立った。両親には反対されたようだ。

女の子が一人で、遠く離れた王都まで旅をするなんて、親としては心配だろう。加えて学園に入学するためには試験を受けなければならない。貴族である僕には不要な試験だ。

平民への当たりは強く、辺境で暮らす人々にとって、王都は憧れであると同時に、怖い場所でもあるらしい。

レーナは両親の反対を押し切り、半ば家出と同じ勢いで村を飛び出してきたそうだ。

「すごい勇気ですね」

「どこが？　やりたいことは決まってるんだ！　誰に何を言われたって、関係ない！　そんなの普通だろ？」

「それを普通だと思える人間は少数です」

「リクルは違うのか?」

「そうですね。僕もどちらかというと、君と同じ側の人間です」

「やっぱな!」

この話をしたとき、彼女は嬉しそうに笑っていた。

出発から三週間。途中、ちょっと寄り道をしたりして、少しだけ遅くなったけど、僕たちはついに、目的の場所にたどり着いた。

アルギニア王国の中心、総人口の三割が暮らしていると言われている王都に。周囲は深い堀と、高い壁に覆われている。

初めて見た時、僕たちは高い壁を見上げながら同じことを口にした。

「でっか〜」

「大きいですね……」

僕が知る都と比較しても、あきらかに規模が違った。高い壁の向こうに、少しだけお城の頭らしきものが見えている。

この距離で見える大きさだ。きっと僕が知っている都の城とは比べ物にならない規模なのだろう。

改めて、自分が生きてきた世界と、生まれ変わったこの世界との差を痛感する。

中に入ると、さっそく人ごみに圧倒される。

「す、すげぇ人の数だな……見てるだけで酔いそうだ」

「さすがは都ですね」

チラホラと、僕たちと同年代っぽい雰囲気の男女を見かける。僕らのように大きめの荷物を持っていたり、少しソワソワしていた。

彼らもまた、学園に入学するため、遠路はるばる王都までやってきたのだろうか。

僕は改めて、王都の街を行きかう人々を見渡す。

これだけの人数がいるんだ。もしかしたらこの中に、僕と同郷の人も混じっているかもしれない。

見た目ではわからないだろう。僕もそうだけど、生まれ変わっているとすれば、容姿は別人になっているはずだ。

改めて、どうやって探せばいいのか悩ましいな。

「なんだ？　お前も人混みに酔いそうになったか？」

「いえ、少し考え事をしていただけです」

「そうか？　あんま入り口でぼーっとしてると邪魔になるぞ？」

「そうですね。宿を探しましょう。学園の入学試験まで日にちもありますし」

しばらく王都の街を観光したり、この環境に慣れることを優先しよう。みんなを探すのは、学園に入学した後でいい。

「んじゃ探すか」

「はい」

僕たちは宿を探して王都の街を歩く。

お互いに初めて来る場所だから、地理はまったくわからずに迷った。人ごみに紛れ、流れに身を任せて進む。

偶然にも一軒の綺麗そうな宿を見つけたので、学園が始まるまでの間、この宿で過ごすことになった。

「よかったんですか？　わざわざ一緒の部屋にしなくても」

「節約だよ節約！　これから金もいるし、できるだけ節約しておかないとな」

「……一応、僕も男ですよ？」

「ん？　だからどうしたんだよ？　そんなの知ってるけど……」

念のために確認しておいたけど、やっぱり彼女は僕のことを異性として意識はしていないらしい。

単なる男友達として思われているのか。そっちのほうが僕としても接しやすいけど、なんだか男としては複雑な気分だ。

「つーか今さらだろ？　野宿だって一緒だったし」

「それもそうですね」

出会ってから十数日、朝起きてから眠るまで、常に行動を共にしていた。今さら男女がどうとか気にするほうが不自然か。

少々彼女が異性に対して無防備すぎるのは心配だけど、彼女なら何かあっても自力で対処できそうだなとは思った。

「ははっ、まるで親目線ですね」

実際、前世も含めたら二回り以上年齢は離れているはずだ。彼女には警戒を促しつつも、僕自身、彼女を異性として見ていない。

元より前世でも、あまり異性との交友関係は広くなかったし、剣術以外に興味もなかったから。

それでもなぜか異性に好意を抱かれやすかったから、よく永倉《ながくら》さんあたりに、ひがみを言われていたっけ。

「永倉さんは異性に好かれなかったからなぁ。男性には好かれるけど」

「ん？　なんの話だ？」

「なんでもありませんよ。ただの独り言です」

「ふーん、お前なんか多いよな。独り言」

そう言いながら、彼女は僕のことを深く聞かない。詮索してこないのは遠慮しているからかと思ったけど、単に興味がなさそうだ。

彼女の興味は、剣術や強さを求めることに注がれている。僕がどういう人間かなんて、彼女には関係ないのだろう。

その他人に対する興味のなさが、僕には逆に心地がよかった。

「んじゃ宿も決まったし！　どっか戦える場所でも探しに行こうぜ！」

「そうですね。そこは重要です」

「おう！　入学試験までにものにしてやるよ！」

◇◇◇

一週間程度はあっという間に過ぎる。

王都に訪れてから街を散策したり、買い物に出かけて環境にも慣れ始めた頃、僕たちはついに、学園の前に立っていた。

「ここが学園……」

広くて大きい。最初の感想は、王都を初めて見た時と似ている。黒い柵に覆われて、建物は二つに分かれていた。

黒い壁の建物と、対照的に真っ白な壁の建物だ。

事前に調べた情報によれば、学園での勉強は、その後の進学先に合わせて大きく二つの科に分かれているらしい。

黒いほうの建物が、魔術師団に入団する人たちが学ぶ魔術科。

白い建物は、将来騎士団に入ることを目的にした人たちが通うことになる騎士科の建物だ。

試験はそれぞれの建物で行われるらしい。まずは学園の敷地内に設置された仮設受付所に向かって、入学試験を受ける手続きをする。

「人の流れ的に、あっちですね」

「みたいだな。さっさと受付だけ済ませようぜ」

「はい」

僕たちは人の流れに身を任せ、受付らしき場所へと向かった。建物に近づくにつれ、人は多くなっていく。

王都の人ごみに慣れていなかったら、僕も彼女もこの人ごみに酔っていたかもしれない。早めに来ておいて正解だった。

「こちらに必要事項を記入してください。貴族の方は家紋がわかるもののご提出をお願いします」

「はい」

「確認します。ビクセン男爵家のリクル様ですね」

「はい」

「え？　お前って貴族だったの？」

隣で受付をしていたレーナが驚いて声をかけてきた。今さらだなと思いつつ、一度も聞かれなかったし、家名も名乗らなかったから当然か。

「すみません。聞かれなかったので」

「そりゃ聞かなかったけどさ。貴族なのに一人で旅してたのか？　お前ってやっぱ変わってるな」

「ははっ、そうかもしれませんね」

よかった。貴族だと知られても、彼女の態度は変わらない。正直、貴族であることを伝えなかったのは、彼女が遠慮してしまわないか心配だったからだ。

僕たちは揃って受付を済ませて、一旦受付から離れていく。

「へぇ～、だから服装もそれっぽかったのか。貴族ってもっと派手な格好して、威張ってるもんだと思ってた」

「派手な格好は苦手なんです。剣を振るう時に邪魔になりますし。それに僕は所詮辺境の男爵家の次男ですから。そこまで威張れる立場じゃないんですよ」

「ふーん、よくわかんないけど、とりあえず凄いな。貴族かー、ってことは、お前は試験免除なのか」

「そうなりますね、一応」

この学園には入学試験があるけれど、貴族の生まれの人間は、その試験を免除される仕組みになっている。

一応、同様の試験は検査という名目で実施されるけど、その結果にかかわらず入学することは確定済みだ。

ハッキリ言ってずるでしかない。実力がなく、努力せずとも簡単に僕たちは入学できるのに、一般の人たちは篩《ふるい》に掛けられる。

不公平にも程がある。

「そんなこともあって、言い出しづらかったんですよ」

「別にあたしは気にしないぜ？　あたしも合格すれば関係ないしな！」

「レーナのそういう前向きなところ、僕は好きですすよ」

「な、す、好きとかお前……急に言うなよ！」

ただの尊敬の好意を伝えたつもりだったのだけど、レーナは慌てたように顔を赤らめてしまう。

そういう女の子らしい一面は、土方さんとは正反対で、まったく想像できない。

彼女は土方さんによく似ている。けれど、彼女らしさもあって、土方さんの生まれ変わりなのかは……正直微妙なところだ。

仮に彼女が別人であっても、多少ガッカリはするけど、僕の彼女に対する態度は変わらないだろう。

純粋に嬉しい。僕らと何も関わりがない異世界の人間が、かつての僕らと同じ思想、夢を持っているのは。

「ま、貴族がみんなお前みたいな奴だったら楽なんだけどな」

「そうですね。僕もそう思いますよ」

前世の頃から、身分の高い人と接するのはどうも苦手だ。そういう役回りは近藤さんや、山南《やまなみ》さんに任せっきりだった。

剣術以外で他人と語り合うのは得意じゃない。変にこの世界での身分がある分、接し方は特に面倒だと思っていた。

と、そんな時に、人ごみに押されてレーナがふらつき、男性と肩をぶつけてしまう。レーナは軽く謝罪して立ち去ろうとした。

「お、悪い」

「……おい、待て」

男が呼び止める。僕らが振り返ると、苛立ちを見せていた男は、数人の取り巻きをつれて彼女を睨んでいた。

服装からして貴族であることは間違いない。無駄に派手な装飾は、たぶん僕よりも爵位が上の……。

面倒なことになる予感がした。

「この俺にぶつかっておいてそれだけか？」

「それだけって、ちゃんと謝っただろ？」

「ふざけるな！　この俺にぶつかって謝罪だけで済むわけがないだろう？　お前、どこの家の出身だ？」

「あたしは貴族じゃない。出身なら、王都よりずーっと北だ」

レーナは正直に、臆することなく答えた。こういう初対面でも堂々としていると
ころは彼女のいいところだと思う。

けれど、彼女が平民だと知ったことで、男たちは馬鹿にするように笑いだす。

「平民のくせに、わざわざ受かりもしない学園の試験を受けにきたのか？　遠路は
るばるご苦労様だなぁ」

「なんだと……そんなもん――」

「彼女は合格しますよ」

「リクル？」

言い返そうとした彼女の代わりに、僕は一歩前に出る。少しだけ、彼らの態度や
言い方にイラっとしてしまった。

やっぱり僕は、位の高い人間と接するのが苦手らしい。どうしたって、強くもな
いくせに偉そうだな……とか、思ってしまうから。

「なんだお前？」

「僕はリクル・ビクセンです」

「家名、貴族か。ビクセンなんて聞いたことないな」

「僕は王都の貴族ではありません。彼女と同じく、ここよりもずっと北にある領地をいただいています」

僕は笑顔で説明すると、一番偉そうな貴族の男性はぷすっと笑う。あきらかに馬鹿にしている笑顔だ。

「辺境の田舎領主か。道理で知らないわけだよ。ってことはこの女はお前の使用人か何かか？　ちゃんと躾けておくんだな」

「なっ、誰が使用人だ！　あたしは――」

「僕の大事な友人ですよ。使用人ではありません」

「――リクル、お前……」

意外そうな表情を見せるレーナに、僕は優しくニコリと微笑む。出会ってからは短いけれど、僕たちは友人だ。

少なくとも僕はそう思っているし、彼女もそう思っていると……思いたい。

「違いましたか？」

「――ははっ、いや、そうだな！　あたしらは友達だ！　なんか文句でもあるのか？」

「……貴族と平民が友人に？　ふっ、おもしろい冗談だな。辺境の出とはいえ貴族なら、友人にする相手は選んだほうがいいぞ」

「選んでいますよ。少なくとも、僕はあなたのような人とは友人になりたくありませんからね」

隣でレーナは少し驚いていた。

僕に煽られた偉そうな貴族は、苛立ちを表情に見せる。けれどすぐに笑い飛ばして、僕たちに捨て台詞を吐く。

「調子に乗っていられるのも今の内だぞ。お前はともかく、そこの女は試験にも受からずに寂しく一人で帰ることになる。お前も、入学してからが楽しみだな」

「あたしは合格するぞ」

「僕たちは騎士志望ですから、入学しても関わりがないかもしれませんね」

僕がニコリと微笑むと、睨みながら彼らは立ち去っていく。雰囲気的にはこのまま一勝負、という感じだったのに、残念だ。

思ったよりも冷静というか……度胸がないな。

「なんであいつが騎士志望じゃないってわかったんだ?」

「え？　だって彼、剣士に見えませんでしたから」

「それもそうか。というか驚いたぜ！　リクルも挑発したりするんだな」

「別にそのつもりはありませんでしたよ。ただ、思ったことを口にしただけです」

「天然の煽りか。なんかお前らしいな」

僕らしい……昔、同じことを言われた気がする。あれはいつだっただろうか。あの人と僕は、最期まで剣でしか語り合えなかった。

「それと……ありがとな。あたしのこと庇《かば》ってくれて」

「気にしないでください。友達が困っている時は、助けるのが当たり前です」

「そうだな！　お前が困ってる時はあたしが助けてやるぞ！」

「はい。期待しています。それじゃあまず、試験に合格しないといけませんね」

受付時間が終わったらしい。受付にいた人たちが席を立ち、会場への案内を開始していた。

いよいよ始まる。僕にとってはただの通過点だけど、彼女にとっては最初の関門……いいや、彼女にとっても通過点だろう。

「頑張ってください」

「おう！　絶対に合格してやるから安心しろ！」

◇◇◇

試験は二段階に分かれている。

最初に行われるのは共通試験。筆記でこの国の歴史や、魔術師や騎士になる上で必要な基礎知識に関する問題を解いていく。

学園に入るなら、知っていて当たり前の知識ばかりだ。ちゃんと勉強して、備えていれば問題なく合格点を取れる。

やる気がない人間を篩にかける試験だった。すでに合格が決まっている貴族でも、ここで悪い点数を取ってしまうと、入学後に厳しい目で見られる。

試験が終われば、しばらく自由時間になる。この間に受験者はお昼を済ませたり、その後の試験の準備をする。

「どうでしたか？」

「ちゃんと全部答えたぞ……一応……」

「そうですか」

どうやら彼女は筆記試験にあまり自信がないらしい。貴族と一般受験者の差は、教養を受ける場があるかどうかだ。

彼女たちは剣術だけではなく、一般常識や魔術などの知識も独学で学ばなければならない。

「どーも苦手だ。身体動かすことのほうがよっぽど楽だな」

「気持ちはわかりますよ。でも試験ですから」

「わかってる。リクルがいろいろ教えてくれてたからな。ちゃんと答えられていると思うぜ！」

「それはよかったです」

筆記が苦手という話は事前に聞いていた。僕は道中や、王都に着いてからも、彼女の試験勉強に協力してあげていた。

その成果が表れてくれたなら安心する。せっかく実力があるのに、筆記試験で落とされるのは勿体ないから。

そうしてお昼を済ませて午後になる。

午後の試験内容は実技だ。魔術師団志望の人は、魔術科の建物で試験を受け、騎士団志望の僕たちは、騎士科の白い建物へと移動する。

試験では受験者同士、一対一で模擬戦を行い、試験監督に実力を点数化してもらうことになっている。

相手はその場で無作為に選ばれるが、ここでも貴族の立場を利用して、有利になるように工作する人もいるそうだ。

もちろん、僕はそんなことしていない。だから今回は相手が悪い。

「意外ですね。あなたは魔術師志望だと思っていました」

「残念だったな。俺はどっちも才能がある。だから両方受けることになっているんだよ」

「なるほど、そういうことでしたか」

試験が開始され、相手に選ばれたのは、試験前にレーナや僕に絡んできた偉そうな貴族の男性だった。

てっきり魔術師志望で、今後は関わることもないかと思っていたけど、わざわざ向こうから関わりにくるなんて。

「よほど気に入らなかったのですか？　僕たちのことが」

「勘違いするなよ。これも躾だ。選ばれし者として、下々の者に立場をわからせてやらないとなぁ」

「選ばれし者……ですか」

「お前も貴族だが態度が気に入らない。リンドウ公爵家の嫡男である俺と、辺境の貴族のお前が対等であるわけがないだろう？」

公爵家……確か貴族の位では一番上の爵位だったはず。なるほど、それでここまで威張っていられるのか。

まるで虎の威を借るキツネだな。偉いのは家を大きくした先人たちであって、彼は何もしてないのに。

「彼女はいいんですか？」

「安心しろよ。俺の頼もしい友人が、あっちの女にもわからせてやるから」

「そうですか。頼もしい友人……じゃあ友人対決ですね」

「……チッ」

周囲に聞こえるハッキリとした音で舌打ちが響く。常にニコニコ笑みを浮かべている僕の態度が気に入らなかったのだろうか。

彼は苛立ちを露《あらわ》にする。

「そのニヤケ面……泣かせてやろう」

「どうぞ頑張ってください」

試験監督の準備ができたことで、一人の大人の男性が僕たちの間に立つ。独特な服装の男性だ。おそらく騎士の方だろう。

集まっている試験監督も、騎士団に所属している方々に違いない。

ふと、一人の男性に視線がいく。黒髪の仏頂面で、腕を組み僕たちのことを見ている人物に。

どことなく、懐かしい雰囲気を感じた。

「まさか……」

「どこ見てる？　早々に試験を放棄する気か？　貴族でも試験から逃げ出したら、入学が取り消されることになるぞ？」

「親切ですね。大丈夫です。さぁ、始めましょうか」

気にはなるけど、今は試験に集中しておこう。彼はすでに剣を抜いて構えていた。

「俺の志望は魔術師だが、小さい頃から剣術も叩き込まれてきた。田舎貴族とは違う。本場の騎士の剣だ！」

「騎士の剣、楽しみですね」

「ああ、楽しんでおけよ。見るのはこれが最後になるかもしれないからな！」

貴族の男は大声を出しながら斬りかかってくる。木剣だけど殺意と敵意を丸出しにして、思いっきり振り回す。

　僕はそれを観察しながら躱《かわ》す。確かに、レーナよりは基本ができている。剣術を学んだというのも、あながち嘘じゃない。

　ただ……。

「どうした？　避《よ》けることで精一杯か？」

「遅すぎますね」

「なっ……なんだと……」

「基礎だけで戦えるほど、剣術の道は甘くはありませんよ？」

　彼はただ、剣術が使えるだけでしかない。剣術とはそもそも、人を斬るために練り上げられた術だ。

　使えるだけでは意味がない。知っているだけでは価値がない。剣術で人を斬り、殺すことにこそ意味がある。

　これならレーナのほうがよっぽど身に付けている。剣士として必要な要素を、相手を斬るための方法を。

「この程度の剣では、赤子も殺せませんよ？」

「あまりなめるな！　俺の本気を見せてやる！」

「それなら早く見せてください。そろそろ飽きてきましたから」

「こいつ……」

まだ引き出せるものがあるかもしれない。そう思って観察していたけど、そろそろ限界だろうか。やっぱり彼は剣士じゃない。

これ以上は時間の無駄になる。手早く終わらせよう。そう思った時、彼の動きが激変する。

「この速度……」

急激に移動速度が上がった。魔力で身体能力を強化しているのだろう。だが、この試験では魔力の使用は禁止されている。

「違反はよくありませんよ」

「なんのことだ？　誰も止めないだろ？　違反なんてどこにもない」

「……そういうことですか」

試験を取りしまる監督にも、先に手を回していたということか。用意周到なところは認めてあげよう。だけど、彼は方法を間違えた。

速さで僕に挑もうなんて――

「百年早いですね」

「がっ……あ……」

どれだけ早く動こうとも、眼で追えないほどの速さではなかった。それに敵意と殺気を消せていない。

いつ攻撃が来るのかがわかれば、踏み込みに合わせて先に刃を当てることなんて簡単だった。

突っ込んできた勢いを自らが受け、喉を突かれた彼は倒れて苦しんでいる。

「ぐっ、なん、で……」

「あなたはやっぱり剣士には向いていませんね。大人しく魔術師の道を歩んでください」

僕はニコリと微笑む。

周囲からざわつき、様々な声が聞こえてきた。

「おい、あいつ勝ちやがったぞ」

「嘘だろ。相手は確か、リンドウ公爵家の嫡男だろ？」

「あいつ何者だ？」

「今の動き……まさか……そうなのか？」

誰も、僕が勝利するとは思っていなかったらしい。僕が知らないだけで、倒れて苦しんでいる彼は、貴族の間でもそれなりの有名人だったようだ。

みんなの前で負かせてしまって、少々申し訳ないことをした気がする。

「決着ですよ？」

「あ、ああ！　勝者、リクル・ビクセン！」

僕はお辞儀をして、その場を去る。待っていてくれたレーナが、満面の笑みで手をかざす。

「さっすが！　完勝だな！」

「はい」

僕は彼女と手を合わせ、パチンといい音が鳴り響く。

「なんかあたしもスッキリしたぜ！」

「それはよかったです」

僕たちは笑い合う。次はレーナさんの番だね、とか。同じように圧勝するから見ていてほしいとか。

楽し気に会話する僕たちに、ゆっくりとした足音が響く。

「ん？　誰か来るけど、知り合いか？」

レーナが先に気づき、キョトンと僕の背後に視線を向ける。辺境の貴族である僕に、王都の知り合いなんていない。

いるとすれば……。

「前よりもキレが増したんじゃないのか？　――総司《そうじ》」

「――！」

予感はあった。

雰囲気が、彼にそっくりで、もしかしてと思ったんだ。この世界での僕はリクル・ビクセンだ。

けれど僕は彼じゃない。彼の肉体を借りた別人であり、もう一つの確かな名前がある。その名を知る者がいるとすれば、僕と同じ道を辿った誰か。

ああ、これが奇跡というのだろう。

「――お久しぶりですね、土方さん」

「ああ、総司。こんなところで会えるとは思わなかったぞ」

「僕は信じていましたよ。いつかまた……会えることを」

「ふっ、変わってないな、お前は」

呆れたように笑う。

その表情、しゃべり方、態度はまさに、僕がよく知る土方歳三《としぞう》という男だった。

僕たちは再会した。同じ剣の道を歩んだ仲間と、世界すら越えて。

この感動は、きっと僕たちにしかわからない。

第四章　新選組の鬼

新しい朝がやってくる。

目覚める場所は屋敷でも、宿屋でもない。眼を開ければ見慣れない天井があって、こぢんまりした部屋で一人、ゆっくりと起き上がる。

「ん、うーん……ふぅ……」

大きく背伸びをして、部屋の中を見回す。六畳余りの広さに、ベッドや机、必要なものが揃っている。

貴族の出身なら倉庫以下だと嘆く広さだけど……。

「やっぱり僕にはこのくらいがちょうどいいかな」

根が庶民派の僕にとって、広すぎる部屋は逆に落ち着かなかった。今くらいこぢんまりした部屋のほうがずっと落ち着く。

僕は予《あらかじ》め用意しておいた服に着替えて、寝ぐせを整え、顔を洗う。部屋には小さいけど台所もあって、軽く朝食は済ませた。

僕は部屋の扉を開けて外に出る。

ここは学園が管理する学生寮の一室で、僕のように遠方からやってきて、王都で暮らす場所がない人が利用する。

言うまでもなく、貴族は基本的に利用することが少ない。貴族にとって、この狭い部屋での生活は苦痛だからだ。

つまり、この寮を利用している時点で、庶民かお金がない貧乏貴族かどちらかということになり、貴族たちからは笑われる。

もっとも、僕も彼女もそんなことは気にしないのだけど。

「あ！　おはよう！　リクル！」

「おはようございます。レーナさん」

寮の外に出ると、レーナが僕を見つけてかけよってきてくれた。彼女も僕と同じように寮で生活している。

男女で寮の建物は分けられていて、女性寮は男性寮の隣にある。

「昨日はよく眠れましたか？」

「おう！　寮ってもっと汚くてじめじめしてるイメージだったけど、意外と快適な場所だな！」

「それはよかったです。これから朝の訓練をするつもりですが、レーナさんはどうしますか？」

「もちろんやるぜ！　そのために早起きしたからな！」

「じゃあ行きましょう」

始業の時間にはまだ早い。僕らが早起きをしているのは、日課である朝の訓練をするためだ。

特に約束をしたわけではないけど、彼女も僕と同じ時間に目覚め、こうして一緒に野外訓練場に向かっている。

「しっかしこの学園、馬鹿みたいに広いよな～」

「そうですね。闇雲に歩いていると、迷子になってしまいそうです」

「だな。昨日の夜も適当に探検しようと思ったんだけどさ？　夜は暗くて道もわからなくて、早々に引き返したぜ」

「迷う前に戻って来られてよかったですね」

相変わらず、レーナは行動力に溢れている。確か夜間の外出はなるべく控えるように説明があったはずだけど、たぶん気にしていないな。

迷う以前に、警備している人に見つからなくてよかった。せっかく試験に合格したのに、そんなことで退学になったら災難すぎる。

そう、僕も彼女も無事に試験は突破して、今日から晴れて学園の一年生になった。

レーナの場合は筆記試験はギリギリだったみたいだけど、その後の実技試験では対戦相手を圧倒して、なんの問題もなく合格を貰えた。

あの意地悪な貴族のお友達も、レーナの剣術の前には手も足も出ず、ひたすら遊ばれていた感じだったのは、少々気の毒ではあった。

もっとも、彼らは貴族だから、僕と同じように試験は形ばかりで、どんな結果であれ学園への入学は決まっている。

あれだけの失態を晒したわけだし、きっと騎士志望ではなく完全な魔術師志望に切り替えただろう。

おそらくもう二度と、彼らと顔を合わせることはないと思った。

「着いたー！　ここまで歩くのも距離あるよな」

「ですね。時間も迫っていますし、早めに始めて終わらせましょうか」

「おう！　今日も素振りからだな！」

「はい」

僕たちは横に並び、腰に携えていた木刀を手に、揃って素振りを始める。彼女の木刀も、彼女の術式で生み出したものだ。

訓練をするなら真剣よりも木刀のほうが便利だからと、僕に倣って彼女も作った。

やっぱり彼女の術式は、僕たち剣士にとっては便利だ。木刀や刀がダメになったら交換できるし、魔力による修復も可能だ。

一度生成した剣は、彼女が意識的に術式を解除する、もしくは完全に修復不可能な状態まで破壊されない限り残り続ける。

レーナ曰く、彼女自身が遠く離れていたり、最悪命を落としても消えることはないそうだ。

「本当に便利ですね」

「そうだな！　わざわざ訓練する場所を探さなくていいし！」

「ははは」

「ん？　なんで笑ってんだよ」

そういう意味で言ったわけじゃないのだけど、絶妙に会話がかみ合わなくて思わず笑ってしまった。

確かに、この学園は便利だ。必要なものは学園の敷地内に大体揃っている。訓練場も、この野外訓練場なら許可なく勝手に使用していいらしい。

室内にある教室、訓練場も事前に許可をとれば、生徒なら使うことができるそうだ。図書館は書物も充実している。

さすがは王国最高の教育機関。学ぶためにこれほど適した場所はないだろう。

だからこそ、王国中から夢見る若者たちが集まり、競い合う。

僕らもそのうちの一人であり、将来は騎士団に入ることになるだろう。僕の場合は騎士になりたいわけじゃなくて、その後の目的のためにだったけど……。

今は騎士団に入りたい別の理由が生まれた。

「素振り終わり！　そんじゃ次は相手頼むぜ！」

「はい。お手柔らかに」

「嫌だね！　今日こそお前から一本とってやる！　覚悟しとけよ！」

「ははっ、そう言われたら、僕も手は抜けませんね」

負けず嫌いな僕は、訓練でも負けたくないと思ってしまう。それだけじゃなくて、手合わせするたびに成長する彼女を見ていると、負けていられないと思う。

思った通り、レーナには剣術の才能があった。もしかすると、秘めた才能は僕よりも上かもしれない。

日々成長する彼女の将来が楽しみであり、それでも負けたくないから、僕ももっと強くなろうと木刀を握る手に力が入る。

「そんじゃ行くぜ！」

「いつでもどうぞ」

僕たちは木刀を振り上げて、同時に振り落としぶつけ合う。鍔《つば》迫り合いにもつれ込み、互いに笑みがこぼれる。

そんな僕たちの下に、一人の足音が近づいてきていることに気づいた。

「朝から精が出るな。それともイチャついてるだけか？」

「なっ……誰がイチャついてるだ！」

「おはようございます。ご一緒にどうですか？　土方《ひじかた》さん」

「気軽に誘ってくれるなよ。お前と向き合ったら訓練で済まなくなるからな。総《そう》司《じ》」

僕たちの前にやってきた彼は、あきれ顔で立ち止まる。

元新選組《しんせんぐみ》副長、土方歳三《としぞう》。僕や近藤《こんどう》さんと同じように、試衛館《しえいかん》道場から一緒に剣術を磨き、京に出て、新選組となった。

人々は彼のこと恐れ、仲間からも鬼の副長と恐れられていた。

彼もこの世界に生まれ変わり、現在は、グレン・ストライダーという貴族となり、騎士団に所属する隊長の一人だ。

入学試験の時、僕の剣技を間近で見たことで、僕の中身が沖田《おきた》総司であることを確信し、声をかけてくれた。

「土方さんはこんなところで何をしているんですか？」

「散歩だよ。朝の日課だ」

「土方さんが散歩……似合わないですね」

「そうか？　訓練はもうとっくに終わったからな。怪しい奴を見つけたら、問答無用で斬れるだろ？」

「あー……やっぱり土方さんらしいです」

過激なまでに曲がったことを許さず、敵であれ仲間であれ、気に入らない奴は問答無用で斬り捨てる。

逆に気に入った相手には礼儀と敬愛の心を持ち、最期まで名を忘れることなく、共に生き続ける。

土方歳三という男は、誰よりも武士道を愛し、剣技を愛し、家族を愛していた人だった。

こうして話していると、昔のことをたくさん思い出す。懐かしさに、思わず胸がいっぱいになりそうな気分だ。

「ところで総司、気になってたんだが……」

土方さんの視線は、僕の後ろに隠れるように立っていたレーナに向けられた。レーナもビクッと反応する。

「そいつ誰だ？ 試験の時も一緒にいたが、ひょっとしてお前の女か？」

「だ、誰が誰の女だ！ あたしは誰のものでもないぞ！」

「おうおう、元気いいじゃねーか。総司、お前、こういうのがタイプだったのか？」

「そうですね。彼女を見ていると元気になれます」

「なっ、何言ってんだよ！」

レーナは顔を真っ赤にして照れる。相変わらず表情と態度に感情が現れやすくて、見ていて面白いし楽しい。

「彼女はレーナです。ここへ来る途中に出会って、それから一緒に行動しています。素晴らしい剣術の才能を持っているんですよ」

「へぇ、確かに筋は悪くなかったな」

土方さんは自分の顎に手を当て、レーナのことをじっと見ている。レーナは睨まれていると勘違いして、睨み返していた。

「な、なんだよ？　文句あるのかよ！」

「威勢がいいな。なんか昔の自分を見てるみたいで複雑な気分だ」

「ですよね。土方さんも出会ったばかりの頃はツンツンしていましたし」

「表現を可愛くするな。あの頃の俺は、ただ自分が強くなることだけを考えていた。最強になる……それだけが生きる意味だったんだよ」

土方さんは僕を見つめる。きっと彼の脳裏にも、かつての思い出が流れているのだろう。輝かしき、青春の思い出を。

「まぁ、お前らと出会ってから、強さの意味を考えるようになったがな」

「成長しましたよね、土方さんも」

「しみじみ言うんじゃねーよ。大体、昔も今も俺のほうが年上だからな？」

「でも、道場では僕のほうが先輩でしたよ？」

「昔の話だ。ったく、お前は変わらないな、総司」

「僕は僕ですから」

土方さんと話していると、新選組として共に活動した頃に戻ったような気分になる。とても懐かしくて、切ない気持ちに。

僕らは共に戦った。けれど僕は、最期まで一緒にいることができなかった。

「あのさ、さっきから気になってたんだけど……」

「どうかしましたか？」

「ソウジってなんだ？　お前の名前はリクルだろ？」

「え、ああ、そうですね」

何気なく呼び合っていたけど、今の僕たちは沖田総司でも、土方歳三でもなく、それぞれが新しい名をもらっている。

かつての名で呼び合えば、彼女のように首を傾げる人は多いだろう。かといって、本当のことを話すわけにもいかない。

「総司ってのはこいつのあだ名な。俺とこいつは、昔なじみなんだよ」

「そうだったのか？」

「あ、はい。一応貴族同士なので、関わりはあったんですよ」

「へぇ、なるほどなぁ」

土方さんが咄嗟《とっさ》に誤魔化してくれたおかげで、レーナも納得してくれた様子だ。

僕は土方さんと視線を合わせる。

相変わらずこの人は、僕よりも頭の回転が速いな。

「じゃあ、あたしもこれからソウジって呼んでいいか？」

「え？」

「ん？　ダメか？　友達同士なんだし、あだ名で呼んでもいいだろ？　お前もいい加減、あたしのことは呼び捨てにしろよ」

「……そうですね。じゃあ僕も、レーナと呼ぶようにします」

僕がそう言うと、彼女は嬉しそうに満面の笑みを見せる。するとここで、僕はあることに気づいた。

「レーナ、入学の時にもらったバッジはどうしたんですか？　あれは学生であることを示すものだから、常に身に着けていないといけないはずですけど」

「ん？　あ、忘れてきた！」

「あれがないと授業は受けられないぞ？」

「げっ、ちょっと取ってくるから待っててくれ！　悪いな、ソウジ！」

彼女は慌てて駆け出し、寮のほうへと向かった。その後ろ姿を、僕と土方さんで見守る。

「騒がしい奴だな」

「そっくりですよね？　土方さんに」

「昔の俺に……な」

「ははっ、おかげで僕も、彼女が土方さんの生まれ変わりじゃないかって、ずっと思っていました。違ったみたいですけど」

土方歳三は今、僕の隣に立っている。彼女は似ているだけで、ただの別人だった。

この世界にも、かつての土方さんのような人がいることが、なんだか嬉しい。

「僕はこの体の持ち主が九歳の時にこの世界に来たのですが、土方さんは生まれた時からだったんですか？」

「ああ、気が付いたら赤ん坊だったぞ」

「そうですか。大変でしたか？」

「それなりにな。お前のほうがよっぽど大変だっただろ？　いきなり面倒な環境に放り込まれたんだからな」

僕たちは並んで走り去った彼女の方角を見ながら会話を続ける。

簡単にだけど、土方さんには僕がリクル・ビクセンというすでに存在する人間の身体を借りて、この世界に生まれ変わったことを伝えた。

土方さんは僕とは違い、最初からこの世界の新しい人間として生を享け、今日まで生きてきたらしい。

「自分の命を消費して、同調する他人の魂を憑依《ひょうい》させる……か。ぶっ壊れた術式もあったもんだな」

「そうですね。土方さんは？」

「なんだ？」

「惚《とぼ》けないでくださいよ。この世界の人間に生まれ変わって、しかも騎士団の隊長にまでなったんでしょう？　術式、持ってますよね」

騎士団には魔術師の才能がなくとも入団することはできる。剣術、体術、肉体的に優れた一面を持っていれば問題ない。

ただし、部隊長や団長になるためには、剣術の腕だけでは出世できない。騎士団だから魔術が使えなくてもいい、というわけではないらしい。

いくら土方さんでも、この世界で剣術のみで今の地位に上り詰めるのは、相当難しかったはずだ。

「そいつは教えられないな。術式を他人にバラすことはリスクになる。誰も進んで教えたりしねーよ」

「いいじゃないですか。僕は持っていませんよ？　それに彼女も、聞いたらすぐ教えてくれましたし」

「お前らが特殊なだけだ。普通は誰も教えたがらないんだよ」

「そういうものですか」

それがこの世界での常識だと、土方さんはため息交じりに語る。すっかりこの世界に浸っている土方さんを見て、少しだけ寂しくなった。

「土方さんはどうして、騎士団に入ったんですか？」

「俺は生まれ変わった家の方針だ。学園の入学は決まっていた。その後の進路は、自分に向いているほうを選べってな」

「……らしくありませんね。土方さんのことだから、強い奴と戦いたくて騎士団に入ったのかと思ったんですけど」

「ま、それもあるな。王国一の学園、その先の騎士団。強い剣士ならいくらでもいるだろう。実際、それなりの奴はいたぜ」

土方さんは楽しそうに語る。やっぱり、土方さんは剣の話をしているときが一番瞳を輝かせている。

そういうところは、世界が変わっても変わらない。

「総司、お前はどうなんだ?」

「僕ですか?　土方さんと同じです。ここなら強い人たちが集まると思ったから、僕も騎士を目指すことにしました。それに、この身体をくれたリクルの願いは、こんな自分でも強くなれると証明することだったので」

「……その身体の持ち主は、もういないんだな」

「はい。術式の発動と同時に消えました。ここにあるのは、彼の残り香でしかありません。そのおかげで、この世界での知識や常識を身に付けられました」

リクルには感謝している。僕にもう一度、生きるチャンスを与えてくれたこと。この身体は魔術師としては恵まれていないけど、剣士としては十分すぎるほどの才能を秘めている。

この世界で剣士として戦い抜くために、これ以上の身体はないと思えるほどに。

「今戦ったら、土方さんにも圧勝できると思いますよ」

「こいつ……ふっ、本当にそれだけか?」

「え?」

「まだ何か考えているだろ?」

土方さんは少し難しい表情をして、僕に尋ねてきた。僕は数秒意味を考えて、正直に答える。

「そうですね。ここなら、他のみんなと再会できるかもしれないと思いました」

「……」

「僕がこうして生まれ変わったなら、他のみんなもいるかもしれない。だったら、この国で一番人が集まる場所に行けば、みんなと再会できる。手がかりがつかめると思ったんです。土方さんがいて、本当に安心しましたよ」

「……俺は、驚いたがな」

土方さんはそう呟き、空を見上げて黄昏《たそがれ》ていた。気持ちはわかる。僕だって半信半疑で、自分一人だけに起こった奇跡だと考える時があった。

こうして土方さんと再会できたからこそ、やっと本気で思えるようになった。

「早くみんなに会いたいですね」

「……ああ」

「僕たちがいるってことは、他のみんなも絶対にいるはずですから。早く見つけて、一緒にまた始めましょうよ！」

「……始めるって？」

土方さんは空を見上げたまま尋ねてきた。

勿体ぶる言い方だ。本当は土方さんだってわかっているはずなのに。自分の口から言うのが恥ずかしいのだろうか。

そんな土方さんの代わりに、僕が言ってあげようと思った。

「もちろん、新選組ですよ」

「――」

「もう一度みんなと、この世界で新選組を始めるんです！」

共に生き、共に笑い、共に駆け抜けた日々。新選組は僕たちにとって、人生そのものと言っても過言じゃない。

あの頃のように、またみんなと生き抜く場所を作りたい。きっと土方さんも同じ気持ちだと、この時までは思っていた。

「総司、ちょっと付き合え」

「え？」

いつの間にか土方さんは僕の隣から歩き出し、レーナが残していった木刀を拾い上げて握っていた。

「久々に、相手してやるよ」

「本当ですか！」

思わぬ提案に僕は目を輝かせた。土方さんと手合わせできる。一体いつぶりのことだろうか。

僕から提案した時は軽く流したくせに、ずるい人だと思った。

「手加減しませんよ？　土方さん」

「おう。好きに来い」

僕たちは木刀を構えて向かい合う。この感覚、視線の向け合い、久々に感じる……本当の剣士同士の間合い。

戦う前から感じとれる。土方さんは、僕が知っているあの頃よりも強くなっている、と。

「行きます！」

先に動いたのは僕のほうだった。

一瞬にして間合いをつめ、土方さんの喉元に向けて突きを繰り出す。挨拶程度の一撃だけど、手は抜かない。

この一撃で仕留めるくらいの気持ちで放った突きは、土方さんが構えていた木刀を傾け、軌道を逸らされてしまう。

「昔より速くなったか？」

「土方さんこそ、昔なら今の一撃で終わっていましたよ？」

「いつの話をしてるんだ？　こんな程度で負けるわけねーだろ。もっと来い」

「ははっ、そうこなくっちゃ！」

僕たちは木刀を合わせる。剣の速度は僕のほうが圧倒的に上だけど、土方さんのほうが肉体の反応速度は速い。

見てから反応して、僕の攻撃に合わせている。昔から、相手が強いほどにその強さを増していた。

相変わらず、ギリギリのところで攻撃を受けたり、しかけたりするのが上手い。

「魔力、使わないんですか？」

「お前もだろ？　いいのか？」

「はい。せっかくの手合わせですから、魔力は邪魔ですよ」

「それもそうだな」

この戦いに、この世界の要素はなるべく入れたくなかった。使うのはこの身体と木刀、そして……共に学んだ天然理心流の剣技だけでいい。

こうしていると、あの頃に戻ったような気分になれる。

「楽しいですね！　土方さん」

「そうだな。楽しい」

僕は違和感を覚える。

口では楽しいと言いながら、土方さんの表情はどこか悲し気に見えた。少なくとも、僕と同じくらい楽しんではいない。

「土方さん？」

「……総司、お前言ったな？　新選組をもう一度作ると」

「はい！　みんなと一緒に！」

せっかく新しい世界にこうして生まれ変わった。僕や土方さんがいるなら、他の仲間たちだってこの世界のどこかにいるはずだ。

見つけ出して、一緒に新選組として生きたい。それが僕の願いだ。

きっと土方さんだって……。

「作って……どうするつもりなんだ？」

「え？」

思わぬ質問が聞こえてきて、僕は動きを止める。土方さんも同じように剣を止めて、冷たい視線で僕を見ていた。

「どうするって……」

「新選組をこの世界で作って何をする？　なんのために作る？」

「それは……」

「忘れたのか総司？　新選組は幕府の下、治安維持のために結成された組織だ。意味なく存在していたわけじゃない。組織っていうのは、集団っていうのは、必ず必要になる意味があるんだよ」

土方さんは語りながら、完全に構えを解いていた。戦うことを止めて、剣ではなく言葉で僕を責める。

「この世界に新選組を作る意味はなんんだ？」

「……」

「そうだな。ないんだよ。治安維持って意味なら、もうすでに騎士団が存在している。騎士団の仕事は、この国で暮らす人々を守ることだ。規模は違うが、新選組とやってることは同じだな」

「同じ……」

僕も力が抜けて、木刀を下ろす。

新選組の存在意義を、この世界では騎士団が担っている。すでに存在している組織の代わりを作る意味はない。

わかっている。土方さんが口にしているのは正論だ。だけど僕は……。

「僕はそれでも、新選組を……みんなと生きたいんです」

「総司」

「僕はあの日、戦いに行くみんなと一緒に行くことができませんでした。病に侵されて、一人で待つことしかできなかったんです」

僕は自分の胸に手を当て、力いっぱい握りしめる。あの時の悔しさは、今も忘れることはできない。

共に戦いぬくと誓った。死ぬ時はみんなと一緒に、戦場で散るものだと思っていたのに……。

僕の死に場所は、床の上だった。最期に剣を握ることもできず、弱々しく倒れて、みんなとは違う場所であの世界を去った。

「僕はこうして生まれ変われた。だから今度こそは、みんなと一緒に新選組として生きたい。一緒に戦って、それで……」

「……はぁ、やっぱりそうか」

土方さんはため息をこぼし、呆れたように目を伏せる。しかし次の瞬間、土方さんは木刀を握り直し、僕の眼前に迫る。

完全な脱力からの歩法は、あまりの速度に瞬間移動しているようにすら見えることがある。

神速の足運び、歴史に名を遺す大剣豪たちが到達した極致に、土方さんはたどり着いていたらしい。

僕はギリギリ土方さんが振り下ろした剣を受ける。その一撃はすさまじく、強くて、だけど殺気は籠っていない。

「土方さん？」

「お前と別れてから、源《げん》さんが死んだ」

「――！」

鍔《つば》迫り合いの中で、土方さんは突然過去を語り出す。

井上源三郎《いのうえげんざぶろう》。元新選組六番隊組長。寡黙で、誰よりも一途で、歳こそ離れていたけど、みんなから源さんと呼ばれ慕われていた。

土方さんは続けて語る。

「俺たちが逃げるために、自ら囮《おとり》になって戦場に残ったんだ。本当は俺が殿《しんがり》をするつもりだった。けど、源さんが俺を生かしてくれた」

「……源さんが……」

土方さんは悔しそうに唇を噛みしめる。一瞬、気を抜いた僕を土方さんが押し出し、続けて斜めに斬り下ろす。

僕は後ろに下がって回避し、間合いを計って構えなおす。

「山崎《やまざき》も、俺たちが生き残る確率を増やすために、自ら死を選んだ」

土方さんも構えなおし、話を続ける。

山崎丞《すすむ》。元新選組隊士の一人で、諸士調役・監察役を一任されていた。彼とは新選組結成後からで、そこまで見知った仲でもない。

けれど僕らと同じように、近藤さんのことを慕ってくれていた。

土方さんは語りながら剣を振るう。

山崎さんの最期は、僕が離脱した後に起こった戦いで負傷し、その後、富士山丸《ふじやままる》という船の上で亡くなられたそうだ。

交わした言葉の数は少ない。もっと話しておけばよかったと、僕は後悔する。

「左之《さの》もだ。敗走中に分かれて、必ず再会しようと誓い合ったのに、畢竟《ひっきょう》、会うことはなかった」

再びの鍔迫り合いの中で、もう一人の仲間の死を聞かされる。

原田左之助《はらださのすけ》。元新選組十番隊組長。元は試衛館時代の食客であり、彼自身は槍術の達人だった。

試衛館道場に入り浸り、近藤さんと意気投合してから、新選組結成までずっと共に戦い続けた戦友の一人だ。

後年は近藤さんと意見が食い違うこともあったみたいだけど、別れる最後の時まで、新選組であることを誇りに思っていたという。

彼らだけじゃない。

僕らは多くの仲間と共に、夢を抱いて上京し、新選組を作り上げた。

元新選組八番隊組長・藤堂平助《とうどうへいすけ》、副長・山南敬助《やまなみけいすけ》。壬生浪士組《みぶろうしぐみ》からなる新選組初代筆頭局長・芹沢鴨《せりざわかも》……。

僕が病に倒れる前に散っていた仲間たちも大勢いる。意見の食い違いや、新選組の結束を固めるための裏切り、心の弱さ……。

理由はそれぞれだけれど、たとえ死しても、彼らが仲間であった事実は変わらず、今も会いたいと思える。

僕たちは夢のために突き進み、多くの仲間たちを失った。

土方さんは距離を取り、構えを崩して話を続ける。

「俺も、北の大地での戦争で死んだ。あの時点で生き残っていたのは、新八《しんぱち》と一《はじめ》くらいだった」

永倉《ながくら》新八、斎藤《さいとう》一の二人だけは、僕らが散った後も生き残れた可能性があるみたいだ。

天寿を全うできた人が、僕らの中に一人でもいたのだろうか。

そして、今の話を聞いて確信したことがある。薄々わかっていたし、覚悟はしていたことだ。

僕は剣を下ろして尋ねる。

「近藤さんも……死んだんですね」

「……ああ」

返事をしてくれた土方さんの瞳は、朝日に照らされて潤んでいるようにも見えた。

「新政府軍から俺たちを逃がすために、投降したんだ」

「投降……？」

「ああ。あれが近藤さんの、最期の戦いだったんだと思っている」

土方さんの話によれば、近藤さんは戦場で散ったわけではなく、自らの意思で新政府軍に投降し、斬首されたそうだ。

武士としてではなく、農民出身の罪人として、板橋刑場《いたばしけいじょう》にて亡くなった。

「近藤さん……」

「総司、俺たちにとって新選組は夢であり、青春そのものだった。それは全部、あの世界にあるものだ」

「土方さん……」

「なぁ総司、新選組はもうない。あの世界で、俺や近藤さんが、みんなが散った時に、一緒に散ったんだよ」

「――！」

　様々な感情がこみ上げてくる。親愛なる人たちの死を聞かされて、土方さんの口から、聞きたくなかった言葉を聞かされて……。

　悲しさと、悔しさと、怒りで身体が震える。

「散ってません……僕たちはここにいるんです。生まれ変わったんですよ？　みんなだってこの世界のどこかにいるはずです！」

「そうだ。新しい人間として、俺たちと同じように生まれ変わっているかもしれない」

「だったらまた！」

「だからこそ、邪魔しちゃいけねーんだよ！」

土方さんが叫ぶ。感情と一緒に前のめりになっていた僕を押し返す。

「あいつらはいるかもしれない。俺たちと同じように記憶を持って！　けどな？　あいつらには新しい人生が待ってる。過去は過去だ。俺たちは今を、未来を生きてるんだよ」

「っ……そんなこと……」

わかっている。僕らにはもう、新しい名前がある。この世界での僕は、沖田総司ではない。辺境貴族の次男、リクル・ビクセンだ。

土方さんも同じように、新しい名と、新しい立場があり、すでに別の人生を歩んでいる最中だった。

「でも……土方さんはみんなに会いたくないんですか？」

「……その質問に答えるなら、会いたいさ」

「だったら！」

「だがそれは、同じ道を無理にでも歩いてほしいって意味じゃねぇ！」

土方さんは僕の夢を、僕の我儘《わがまま》を否定するように続ける。

「会ってもう一度友人になって、馬鹿騒ぎしたり、剣術を競い合ったり、そういう未来はあってもいい。けど、新選組を作り直すつもりはねーんだよ」

「どうして……」

「お前こそ、新選組を作って何がしたい？　具体的なことが言えるか？　言えなかっただろ？」

「……」

「俺にはわかるぞ、総司。お前は新選組を作って、仲間と一緒に戦って、戦場で共に死にたいと思っているんだ」

「――！」

土方さんの言葉に、心が、身体が震えた。無意識に、木刀を握る手に力が入り、驚いたように両目を見開く。

「図星だろ？」

「ち、違います！　僕はそんな、死にたい訳じゃ……」

「いいや、お前は死にたがってるんだよ。今のお前は死に場所を探してる」

「違う！」

僕は叫ぶ。生まれ変わり、おそらく初めての感情の昂ぶりに、呼吸を乱し、冷静さは失っていた。

そんな僕に対しても、土方さんは動じない。

「違わない。わかるんだよ。俺も……そうだった」

「……？」

「あの日、近藤さんが投降する前、俺はずっと死に場所を探していた。副長として多くの仲間を死なせた責任をとりたかった」

「土方さん……」

それは、未だ見たことがないほど切なげな土方さんの笑顔だった。

「近藤さんが止めてくれなかったら、俺は無意味に死んでいた。あれから俺は、生きるために、仲間と一緒に生き抜くために剣を振るうと誓った。駆け抜けたさ。人生を、己の誠を、武士って存在の強さを追い求めて」

「……土方さんは……最期……」

「ああ、俺は、土方歳三として生きた人生に悔いはない。俺は自分の最期を受け入れている」

「っ……」

そうか、そうなのか。

ようやくわかった。僕と土方さんは決定的に違う。最期まで己の誠を、信念を貫いて戦い、生き抜いた土方さんに対して、僕は悔いばかりが残っている。

一緒に戦いたかった。けれど、僕は一人、病と闘わなければいけなかった。その間に、大切な人たちは散っていった。

僕の、沖田総司としての人生は……後悔ばかりだ。

「総司、死ぬ理由のためだけに、新選組を使うな」

「……っ、僕は……」

「生きろ。お前も、俺も、この世界で生まれ変わったんだ。だからお前も、生きるために足掻《あが》け」

土方さんは木刀を地面に刺し、僕に背を向けて去って行く。

僕は去っていく土方さんから目を逸らし、青くて雲一つない空を見上げた。あの頃に似ている……一人であることを感じる。

「生きるって……」

この世界で、僕はなんのために生きればいい？

沖田総司として自分を殺して、リクル・ビクセンとしてだけ生きなければいけないのだろうか。

そんな人生に……意味があるのか？

第五章　人斬り以蔵

「なぁ、おい」

「……」

——お前は死にたがってるんだよ。今のお前は死に場所を探してる。

土方《ひじかた》さんに指摘された言葉が、今も僕の脳裏から離れない。

あの日、僕は言い返すことができなかった。口ではいくらでも違うと言えるけど、
僕の魂が屈してしまっている。

土方さんの言う通り、今の僕は……。

「おいって、ソウジ？」

「……」

——総司《そうじ》、死ぬ理由のためだけに、新選組《しんせんぐみ》を使うな。

まったく、痛いところを衝《つ》いてくる。僕が新選組を、みんなと一緒に戦いたいのは、過去の後悔からだ。

わかっているよ。僕自身が一番……わかっている。

「いい加減にしろよ！」

「え、あ……」

隣を歩いていたレーナに、僕は胸倉を掴まれ引っ張られてしまう。ここでようやく、彼女と視線が合う。

怒っているようで、心配もしている瞳だった。

「レーナ？」

「話しかけてるのに無視するなよ！　あとぼーっとしすぎ！　ちゃんと前を見ろ！」

「ああ……本当ですね」

僕の前には街灯があって、あと少し進んでいたらぶつかっていただろう。レーナが引っ張ったのは、僕が街灯にぶつからないようにするためだ。

「ありがとうございます」

「……お前、ホントどうしたんだ？　なんか変だぞ？　あのなんだっけ？　グレンとか、ヒジカタとかいう奴と話してからだ」

「……そんなことありませんよ」

「嘘つくなよ。なんか言われたのか？　何言われたか教えろよ！　あたしがガツンと言ってやるよ！」

「ありがとうございます。でも、本当に大丈夫ですから」

　これ以上、彼女に心配をかけないように、僕は精一杯に笑顔を作って見せた。それがかえって、彼女に心配をかけるとも知らずに。

「……ホント無理すんなよ。なんかあるならあたしに言えよな！　友達……なんだからさ」

「はい。そうします」

「お前、時々同い年だと思えないんだよな。なんか変に落ち着いてるっていうか、諦めてるっていうか。剣を握ってる時は楽しそうなのに、それ以外はなんか、どうでもいいと思ってそうだ」

「──そんなことは……」

　ないと、ハッキリ言い返すことができなかった。本当に彼女は土方さんによく似ている。痛いところを彼女にも衝かれてしまった。

そうだ。生まれ変わっても、僕には剣しかない。それ以上に夢中になれることも、やりたいこともない。

畢竟《ひっきょう》、僕は生まれ変わっても……あの世界に、過去に囚われ続けているのだろうか。それは、間違っているのだろうか。

「ん？　なぁ、なんか騒がしくないか？」

「え？　ああ、そういえば……」

学園の敷地内を歩いている。特に大きな行事があるわけじゃないのに、大人たちが大勢行きかっていた。

教員たちだけじゃない。外部の……いいや、魔術師団と騎士団の人たちを、学園内で多く見かける。

その中に一つ、見知った顔があった。

「土方さん！」

「――ん？　ああ、総司か」

思わず声をかけてしまった。あの日以来、あまり面と向かって話すことはなかったけど、気まずさは特にない。

意見が衝突したり、合わないことはこれまでにもあった。あの一件だけで、今さら僕たちの関係性が変わることはない。

僕がそうであるように、土方さんも同じなのだろう。特に変わりなく、土方さんは僕の呼びかけに答えて立ち止まってくれた。

「慌ただしいですね？　何かあったんですか？」

「ああ、ちょっとな」

「何があったんですか？」

「……」

土方さんは僕とレーナを交互に見て、少しだけ悩んだような表情をして、小さくため息をこぼす。

「はぁ、まぁいいか。どうせすぐ知れ渡る。ちょうど今朝、王国一凶悪な人斬り集団アナトスの拠点が見つかったんだよ」

「アナトス？　人斬り集団って……」

「聞いたことないか？」

僕は首を縦に振り、隣にいるレーナにも視線を向けるが、彼女も知らなかったようで、首を横に振った。

「あたしも初耳だ」

「こっちじゃ有名だぞ。やってることは盗賊のそれだが、街を一つ襲って、金品も奪わずに殺すだけ殺して消えたりもする。本当の目的は不明。わかっているのは、相当な手練《てだ》れがいる集団だってことくらいだ」

土方さんの話によれば、人斬り集団アナトスは、近年急激に勢力を増し、名を広めている組織らしい。

王国に反旗を翻《ひるがえ》し、国家転覆を狙う組織は複数ある。ただし、アナトスは国家転覆など、明確な目的を掲げていない。

少なくとも現状ではわかっておらず、その動向も理解できない点が多いらしい。

幾度となく王国騎士団と戦闘を繰り返し、その度に甚大な被害を騎士団にもたらしているそうだ。

「土方さんも戦ったんですか？　彼らと」

「直接はないがな。話を聞く限り、相当やばい連中だって話だ」

「そんな集団の拠点が見つかったということは……」

「ああ、こっちから攻め込む。相手方が気づく前に準備して、一気に叩くつもりだ」

拠点が判明したのが今日の早朝で、作戦開始は同日の夕刻を予定しているという。

拠点までの距離もあり、急いで移動しなければ間に合わない。

いつバレて拠点を移動されるかもわからないから、土方さんたちは急いで出撃の準備をしていた。

「土方さんも参加するんですよね？」

「もちろんだ。俺は指揮官役だからな。どうも昔から、こういう役回りは向いてたらしい」

「なんとなくわかります。土方さんの後に続きたい気持ちは」

「ふっ、まぁそういうわけだ。しばらく慌ただしいと思うが我慢してくれ」

土方さんはそう言い残し、手を振って立ち去ろうとした。戦場に行く土方さんの後ろ姿を見て、僕の心が口を動かす。

「土方さん、僕も参加します」

「お、おい！　ソウジ？」

「……総司、お前……」

レーナは隣で驚き、立ち去ろうとした土方さんは立ち止まり、その場で振り向いて怖い表情を見せる。

見るからに土方さんが怒っているのはわかった。けれど僕は動じない。今さら、土方さんの顔が怖いとか思わない。

「僕も連れて行ってください。土方さん」

「総司……お前は学生だ。魔術師でもなければ騎士でもない」

「でも、僕は強いですよ？　土方さんよりも」

「……」

土方さんは僕を睨む。昔の土方さんなら、自分のほうが強いと怒り、この場で勝負を持ち掛けられたかもしれない。

けれど、大人になってしまった土方さんは冷静だった。この怒りは、別の意味で生まれたものだとわかっている。

「ダメだ。連れていけるわけないだろ」

「どうしてですか？　僕なら役に立ちますよ。たぶん、他の騎士たちよりもずっと、土方さんと一緒に戦ってきましたから」

「そういう問題じゃないんだよ。もう一度言ってやろうか？」

「……」

土方さんはため息をこぼし、僕に向けて言い放つ。

「自分の死に場所に、俺たちを使おうとしてんじゃねーよ」

「っ……」

「お前はやっぱり死にたがりだ。俺が戦場に行くから、自分も一緒に出て、あわよくば先に死にたいとでも思ってるんだろ？」

「違います」

「違わねーんだよ。お前の顔を見ればわかる」

そう言って、土方さんは再び僕に背を向けて歩き出してしまう。

「土方さん！」

「死ぬつもりで剣を握ってる奴なんかに、自分の背中を預けられるかよ」

「――！」

「お前は大人しくしてろ、総司。安心しろ。俺は死ぬつもりなんて一切ない。ちゃんと戻ってきてやるから」

土方さんは立ち止まることなく、軽く手を振って去って行った。僕はこれ以上、何も言い返せなかった。

レーナが心配そうに、僕の顔を覗き込む。

「……ソウジ？」

「すみません。見苦しいところを見せました」

「別にそんなこと……あいつのこと、心配したんだろ？」

「……はい」

違う。それだけじゃないことは、自分が一番よくわかっている。

土方さんの言う通りだ。

僕は……仲間と共に生きたいわけじゃなくて……仲間と同じ戦場で、彼らの前を歩いて……死にたいと思っている。

◇◇◇

凄まじい手際で作戦準備は進められ、同日の夕刻、魔術師団と騎士団の合同部隊が結成された。

騎士団の指揮官はグレン・ストライダー隊長が任命され、およそ一万人の騎士たちが本作戦に動員された。

人斬り集団アナトスの構成人数は、現時点で判明しているだけで約五千人弱とされている。

騎士団の人員だけでも上回る人数を動員しているが、ここに魔術師団の団員五千人が加わる。

戦力差は三倍。確実に彼らを殲滅《せんめつ》するために、作戦開始は同日、まさに電光石火の殲滅戦である。

「——ってことは、土方さんは一万人の将なのか。すごいな」

本当なら僕も、土方さんの率いる人員に入りたかった。けれど、土方さんはそれを許してはくれなかった。

学生であり、死にたがりの相が出ている僕を、戦場に連れて行ってはくれない。

土方さんの言い分は理解できる。けれど、頭でわかっていても、身体はうずいて仕方がなかった。

だから僕は、勝手に参加することに決めた。

「すみません、土方さん」

後でものすごく怒られるだろう。怒った土方さんはとても怖い。局中法度《きょくちゅうはっと》に背いた者には容赦しない。鬼の副長なんて呼ばれていた人だ。

怒られるのは嫌だけど、土方さんが戦うって知っていて、黙って帰りを待つことなんて僕にはできなかった。

たとえ誰も賛同してくれなくとも、一人きりになっても、僕は土方さんのいる戦場に向かう。

そのつもりだったのだけど……。

「おい、ソウジ！　本当に行くのかよ」

「……どうしてついてきたんですか？」

僕の背後には、なぜかレーナの姿があった。僕の質問に対して、レーナは腰に手を当てて堂々と答える。

「そんなもん、お前を引き留めるために決まってるだろ！」

「……じゃあ一緒についてきちゃダメじゃないですか」

「引き留めても止まらないじゃん。だったら一緒にいて、無茶しそうになったら強引にでも止める」

「……ありがとうございます。気持ちは嬉しいですけど、レーナは帰ったほうがいいですよ」

僕は前方に視線を向ける。

もうすぐ、人斬り集団アナトスの拠点があると予測される地域に入る。時間的にまだ戦闘は開始されていないはずだ。

それでも、この距離からでも感じ取れる。手練れの剣士がいる気配……すでに殺気立っている。

拠点の位置がバレたことが、アナトス側にもすでに伝わっているのかもしれない。

僕の予想が正しければ、正面からのぶつかり合いになるだろう。

戦場はとても危険だ。なんて、ありきたりな言葉で片付けられるほど、本物の戦場は単純じゃない。

どれだけ強くても、どれほど思慮深く準備しても、死ぬ時はあっさりと死んでしまう。そんな世界で、僕たちは生きてきた。

「ここから先は本物の戦場です。何が起こるかわからない。取り返しがつかなくなる前に、レーナは早く学園へ」

「帰るなら、ソウジも一緒だぞ」

「……僕は平気です。戦場には慣れていますから」

「そういう問題じゃねーだろ？　慣れてるって言葉が本当かどうか知らないけどさ。強くても、死ぬ時は死ぬんだぜ？」

ビクッと、身体が小さく反応する。まさか、自分が心の中で思っていた心配を、そのまま彼女にされるとは思わなかった。

彼女の言う通り、強くても死なないわけじゃない。そんなこと、僕は誰よりも知っている。言い返せない僕は、彼女の言葉を無視して戦場へと近づく。

「おいソウジ！」

「一緒に来ても、守れる保証はありませんよ」

「別にいいよ。自分の身は自分で守るし、あたしは戦うために来たんじゃない。お前を安全に学園まで引き戻すために来たんだ」

「……すみません。僕にその気はありません」

僕は彼女を振りきるように、速足で山道を進んでいく。目的の場所は山岳地帯の中心にあり、四方を大きな山で囲まれている。

外から中の状況は見えにくく、逆もまた然り。土方さんたちの動向はともかく、僕のような存在まで気づくことはないだろう。

上手くいけば、敵の中枢に潜り込んで、内側から攻撃することができるかもしれない。ただ、そんな場所まで彼女を連れていきたくはなかった。

「なぁ、なんでそこまで戦場に行きたがるんだよ。あのヒジカタって奴に、来るなって言われてムキになってんのか？」

「……そういうわけじゃありませんよ」

「だったらなんだよ？　お前……本当に死ぬつもりじゃないだろうな？」

「……」

速足で彼女を振り切ろうとする僕の手を、彼女は摑んで引き留める。振りほどこうとしたけど、彼女は決して離さない。

逆に引っ張られて、無理矢理振り向かされる。視線が合う。

「ダメだぞ。死ぬなんて」

「……レーナ」

「死んだら何も残らないんだからな？　せっかく努力して剣術を磨いても、死んじゃったらそれ以上強くもなれないんだ」

「……はは」

死んではいけない理由がそれか。彼女らしいというか、変に御託を並べられるよりも、僕らにはしっくりくる考え方だった。

確かに、死んでしまえば人の成長はそこまでだ。磨いた技も、僕が死ねばどこにも残らない。

何よりも、残された人間の心に、大きくて深い傷を残してしまうかもしれない。

彼女の悲しそうで、辛そうな表情を見た時に思った。きっと僕も、仲間たちの死を知った時は、同じような顔をしていたのだろう、と。

「ありがとうございます。レーナ、僕のことを心配してくれて」

「ソウジ？　じゃあ帰るぞ！」

「いいえ、それでも僕は、このまま戦場に向かいます」

「なんで！」

僕の手を握っている彼女の手を、僕は優しく、反対の手を添えるようにして引き離す。

「戦場がそこにある。仲間が戦っている。それを聞いて黙っていられるほど、僕は我慢ができる大人じゃないんですよ」

そう言って僕は笑う。

悲しんでくれる人がいる。それを知ってもなお、僕の中で土方さんと共に戦いたい気持ちはちっとも薄れなかった。

たぶん、それだけじゃない気がする。戦場になるであろう地から感じられる気配が、僕を呼んでいる気がするんだ。

もしかすると、この先に、僕を待っている誰かがいるのかもしれない。

だから――

「すみません。僕は行きます」

「ソウジ！」

今度こそ振り切ってみせる。彼女を戦場に連れて行ってはいけない。気配でわかるんだ。すでに作戦は開始され、戦いが始まっていることが。

戦場に行けば、命のやり取りが当たり前になって、僕でも死ぬかもしれない。

そんな危険な場所に、彼女を連れていけない。出会って間もない僕みたいな人間のことを心配して、ここまで来てくれるような優しい人を。

僕らの戦いに、戦場に巻き込んではいけない。だからここで、彼女は置いて行かなきゃいけない。

「――仲間外れはいけんぞ？」

「え……？」

「――!?」

知らぬ男の声が聞こえて、僕は振り返った。後ろには彼女がいて、僕のことを心配してくれている優しい彼女の腹を、凶刃が貫いていた。

「レーナ！」

僕は咄嗟に腰の刀を抜いた。それよりも速く、彼女に刺さった刃は引き抜かれて、傷口から血が噴き出す。

「痛いじゃろ？　今楽にしちゃるき」

「ソウ……ジ……」

「っ——」

レーナと刺客の間に割って入り、振り下ろされる刃を受け止める。二度目の凶刃は彼女に届く前に止められた。

男と視線が合い、少し驚いているのがわかった。

「お！　よう止めたねや」

「彼女から離れてください」

「そりゃーおまん次第ぜよ」

「そうですか」

僕は彼の剣を押し上げ、がら空きになった胴を薙《な》ぐ。しかし僕の攻撃は彼の肉を斬らず、皮だけを斬り裂いていた。

咄嗟に後ろに跳んで避《よ》けている。凄まじい反応速度だ。

「なんや？　おまん、中々やるみたいねや」

「……」

今の動き、それにあのしゃべり方……いや、今はあの男のことよりも！

「大丈夫ですか？　レーナ」

「っ……」

彼女は僕の背後でうずくまっていた。位置的に内臓は逸れているか？

少なくとも即死していないところを見ると、急所はおそらく外れている。けど、出血がひどい。

「僕のカバンの中に血止め薬があります。それを使ってください」

「へ、平気だ。これくらい……」

「無理をしないでください。今は血を止めることを優先するんです。じゃないと……」

この出血量、あまり長くはもたない。痛みは気合で耐えられたとしても、血の流れを止めないと。

「おまんの女か？　そいつも中々悪くなかったぜよ」

「……」

「ギリギリでワシの気配に気づきよった。本当は心臓を一突きしちゃるつもりじゃったが、外してしもうたぜよ。じゃが、その傷でどれほどもつかな？」

「……」

血止め薬を使えば、出血量は抑えられる。それでも限界がある。早く学園に戻るか、もしくは土方さんの部隊と合流しないと。

土方さんたちのところなら魔術師もいるし、医療知識を持った人も参加しているはずだ。

彼女を担いで移動するには、この男が邪魔すぎる。

「少し急ぎましょう」

「そうじゃな。ワシもさっさと戻らんといけん。おまんらも不運じゃったな？　ワシは偶々《たまたま》しょんべんしに来ただけじゃが」

ここに現れたのは偶然で、僕たちの動向を察して来たわけではない、と言いたいのだろう。本当かどうかはわからない。

もし嘘で、僕たちの動きに気づいていたのなら、余計に長引かせてはいけない。

わかっている。けど、一つ確かめておくべきことがあった。あのしゃべり方は普通じゃない。

記憶通りなら、あれは土佐弁だ。

この異世界に、土佐弁と同じしゃべり方が存在している、という可能性もなくはないけど、僕や土方さんの例もある。

もっとも考えられるのは、彼も僕らと同じ……。

「あなた……もしかして同郷ですか？」

「なんじゃ急に？　ワシはおまんなぞ知らんぜよ」

「……その訛り、土佐弁ですよね？」

「──お！　なんじゃ、そういうことがか？」

男は喜びに満ちたような表情を見せ、握っていた剣の切っ先をこちらに向ける。

「おまんもワシらと同じ、生まれ変わりやったのか！」

「ええ、そうですよ」

やはりこの男も、僕や土方さんと同じ転生者。しかもさっきの動き、間違いなく剣術流派を学んでいる。

どの流派までかは読み取れなかったけど、相当な手練れであることは間違いない。

僕は平晴眼《ひらせいがん》の構えをとる。

「名前を聞いてもいいですか？」

「ワシは岡田以蔵《おかだいぞう》じゃ」

「──あなたがあの……」

僕らが新選組を結成してまだ間もない頃、京で恐れられていた人斬りの一人。相当な達人であり、数々の要人を暗殺、斬り捨てた剣士。

「その顔、ワシのことを知っとるようじゃのう」

「ええ、知っていますよ。一度、手合わせしたいと思っていたくらいには」

「そうじゃったか！　じゃき、そがに嬉しそうなんじゃな」

「――！」

嬉しそう？

岡田以蔵に指摘され、僕は初めて気づく。この時の僕は、彼の素性《すじょう》を聞いて笑っていた。無意識に。

「そういうおまんは何者じゃ？」

「……僕は、新選組一番隊組長、沖田《おきた》総司です」

「――！」

僕の名を聞いた途端、岡田以蔵は瞳を輝かせて歓喜する。

「おまん新選組じゃったか！　しかも沖田！　沖田総司！　新選組の天才剣士とこがんところで立ち会えるとはのう！」

岡田以蔵は剣を振るい、空を切る。僕と戦えることに喜び、身体が震えているのがわかった。

恐怖ではなく武者震い、強者が強者を求め、己の力を示すことから逃げることはできない。たとえ世界が異なろうとも。

剣を取り、構えれば、どちらかが死ぬまで終わらない。

「この幸運に感謝するぜよ！　沖田総司」

「幸運ではなく不運かもしれませんよ？　岡田以蔵さん」

僕らは改めて構えなおし、お互いに距離をつめる。剣士の戦いにおいて、間合いを見誤れば死に直結する。

達人同士の立ち合いであれば、剣を振るう以前に勝敗が決することすらある。特に、この男の場合は……目を逸らせば死ぬ。

「行くぜよ！」

「――――！」

岡田以蔵は正面からこちらに向かっている。身体の向き、刃の方向、筋肉の動き……攻め気を感じ取れる。

はずだった。

岡田以蔵の剣を受け止める。わずかに、動き始めが遅れてしまった。本当なら受けるのではなく躱《かわ》し、回避不能な方向から斬り込むはずだったのに。

「っ……」

この男の剣には気配がない。通常、行動を起こそうとする直前に、その予兆とも呼べる動きが起こる。

視線、呼吸、足運び……様々な要素から相手の次の行動を予測し、対処することができる。だが、彼からは何も感じない。

目の前で動いているはずなのに、動いたことを認識するまでに刹那《せつな》の遅れが生じてしまう。

真剣の斬り合いにおいて、そのわずかな遅れは命取りになる。

（なんだろう。この人の剣……普通じゃない。技術？　それとも……）

「あなたの術式ですか？」

「なんじゃ気づきよったがか？　さすがに速いぜよ」

「やっぱり……」

僕は間合いを取り、彼の動きに集中する。視覚では彼の動きを完璧に捉えているはずだ。それでも、動いた瞬間、反応するまでに遅れがでる。

単なる技術ではなく、これこそが彼が持つ術式の効果なのだろう。

「そうじゃき。こいつがワシの異能。ワシは気配を自由自在に消すことができるぜよ。姿は消せんけどな」

「それでも……」

十分すぎるほどの脅威であることに違いはない。

視覚以外の気配を構成する要素のほぼすべてが消失している。それ故に、彼が動いたことを認識できない。

攻撃が来る方向は見えているのに、身体が反応してくれない。のろまな剣士相手ならなんということはなかっただろう。

だけど、彼の剣はのろまと呼ぶには不適切で、加えて身体能力も高い。反射神経はレーナに匹敵する。

初撃、レーナを庇《かば》った僕の攻撃を、ギリギリのところで躱した。躱せるような甘い踏み込みはしていない。

それだけじゃない。

「中西派一刀流《なかにしはいっとうりゅう》、鏡新明智流《きょうしんめいちりゅう》、それに直指流《じきしりゅう》剣術ですね」

「お！　さすがぜよ！　今の攻防でそこまで見抜いたがか？」

彼は驚いているけど、僕のほうがもっと驚いている。複数の剣術流派を身に付け、それを統合して自分流にしている。

それぞれの流派の長所を生かし、短所を目立たなくしている。言うは易し、行うは……彼の技術の高さが窺える。

剣士としても一流で、手に入れた術式が彼の剣技をより高い段階へと昇華してしまっている。

「簡単じゃありませんね」

「どうじゃ？　おまんも少しは本気を出したらどうじゃ？」

「そうですね。じゃあ、今度はこっちから行きます」

全身に纏《まと》わせる魔力量を最大まで練り上げる。身体能力を大幅に向上させ、神速の足運びで彼の眼前に迫る。

「うおっ！」

「いくら気配を消せても、僕のほうが速いですから」

間合いに入った。ここから繰り出される攻撃は、彼の反射神経でも回避は不可能だった。

天然理心流《てんねんりしんりゅう》、奥義——

「無明剣《むみょうけん》——！」

僕の三段突きは確かに、彼の喉元を捉えたはずだった。だけど……。

「残念じゃったな。届いておらんぜよ？」

「――まさか」

気配を自在に消すことができる。それだけではなかった。彼は自身の気配を自由自在に出すこともできる。

彼が気配を消す前に斬るつもりで動いたのに、それは彼の罠だった。気配を操り、僕の踏み込みを一歩遠のかせるために。

僕が斬ったと思ったのは、彼が気配を操ることで生み出した幻影にすぎなかった。

「隙ありじゃ」

「っ――」

岡田以蔵の凶刃が迫る。僕は咄嗟に膝の力を抜き、その場で崩れるように倒れ込み、彼の一撃をギリギリ躱す。

そのまま足を蹴り、体勢をわずかに崩したところで、僕は距離を取り直す。

「ふぅ……」

「さすがじゃき。今のを躱すとはな」

今のは危なかった。無明剣を回避された後にできる隙をつかれるなんて、今まで一度もなかったのに。

異世界における剣士同士の戦いに、前世での経験や常識は通じない。術式のことも考えないと、この戦いには勝てない。

「ははっ、楽しそうじゃな！　ワシも嬉しいぜよ！」

「――！　別に、楽しんではいませんよ」

「そがなん言いなさんな！　せっかく楽しい戦《いくさ》じゃ！」

岡田以蔵は笑顔を絶やさず斬りかかってくる。笑いながら殺気を込めて、その殺気すら術式で消して。

攻撃は徐々に鋭さを増していく。

どうする？

剣術だけでも十分な実力者なのに、そこにやっかいな気配潰しの術式まで加わると、中々どうして攻めきれない。

ここだと思って攻めても、術式によって歪まされた気配だった場合、その後に大きな隙を作ってしまう。

ならばもっと速く、彼が気配を操っても無意味な速度で攻めればいい。単純だけど、これが確実な方法。

速度では僕のほうが――

「圧倒的に上です」

「っ、やりよるぜよ！」

僕の刃がようやく、彼の身体に届いた。しかし浅い。左肩の皮膚を軽く斬った程度でしかない。

もっと速く、神速の名を体現するんだ。

「たまらんなぁ！　これがワシの求めた戦いじゃ！」

楽しそうな笑顔……無邪気で、本気でこの戦いを楽しんでいるのがわかる。鍔迫《つば》り合いの中、僕は彼に問いかける。

「……岡田以蔵さん。あなたはどうして、生まれ変わっても人斬りを続けているのですか？」

「ん？　なんじゃ急に？　そげんこと、きまっちょる！」

彼の笑顔は無邪気であり、狂気に満ちていた。

「楽しいからじゃ！」

「……人斬りが、楽しいですか？」

「そうじゃき。ワシは頭が悪い。難しいことを考えるのは、昔からちと苦手じゃ。じゃから命令されるまま、人を斬るほうが向いちょる。何も考えず、ただ強い奴と斬り合える！」

「……」

難しいことは何も考えない。相手の事情も一切考慮しない。ただ命じられるままに人を殺す。それじゃただの人形だ。

どこにも彼の意思はない。

「おまんもワシと同じじゃろ？　沖田総司」

「――！　何を……」

「おまんの眼は人斬りの眼ぜよ。ワシにはわかる。おまんはワシらと同類、斬り合いが楽しくて仕方がない大バカ者じゃ」

「っ……違います！」

鍔迫り合いを上手く脱力することで往《い》なし、腹を横に薙いで牽制する。この程度の踏み込みでは当たらないのはわかっていた。

岡田以蔵は後ろに跳んで回避し、きょとんとした表情を向ける。

「あなたのような人斬りと一緒にしないでください」

「悲しいことを言いなさんなや。否定したところで無駄じゃ。おまんはワシらと同じ生き物ぜよ」

「だから……違いますよ！」

斬り合いの中で、僕は岡田以蔵の言葉を否定する。

「僕はいつだって僕の意思で戦ってきました！　今も、僕の意思でここにいるんです！　命じられるまま人を斬るだけのあなたとは——」

「なら、なぜまだ戦っておるがか？」

「え？」

「見とれ。あの娘を」

岡田以蔵の視線に誘導され、僕は気づかされる。レーナが苦しそうに横たわっている姿を。

顔は真っ青で、呼吸も速く乱れている。明らかに、さっきよりも状況が悪化している。

「レーナ！」

「おまん、忘れとったじゃろ？」

「——！　そんなことは……」

「嘘ぜよ。おまんはワシとの斬り合いを求めた。おまんの実力なら、戦わずにこの場から去ることもできたはずぜよ。そうせんかった……否、その選択肢は、最初から浮かばんかったじゃろ？」

身体がわずかに震える。図星だった。戦わずに立ち去るという選択肢は、一度も浮かばなかった。

僕が最初に考えたのは、どうやってこの男を倒してこの場を離脱するか。そう、戦うことは前提になっていたんだ。

「おまんは無自覚に、ワシと戦いたいと思っちょる。ほんじゃき、逃げんかった。戦いに夢中になりよって、他ごとを全て忘れよったな」

「違う……僕は……」

「何が違う？　どこが違うんじゃ？　一緒ぜよ。戦いのことしか考えられない。ワシら人斬りと同じじゃ」

「違う！」

感情が昂ぶり、普段よりも前のめりに動く。戦いにおいて、冷静さを欠くことは命取りになる。わかっていても、感情が乱される。

「認めて楽になるぜよ！　そうすればもっと楽しめる！」

「一緒にしないでください！」

「今さらじゃ！　そも、新選組はそういう集まりだったはずぜよ！」

「――僕たちをただの人斬りと一緒にするな！」

僕への侮辱なら受け入れよう。けれど、僕たちの家族を、僕たちの夢を、僕たちの全てが籠った新選組を、人斬り集団と呼ばせない。

僕らには目的があった。幕府の命令のもと、治安維持を司るという立派な役目があったんだ。

僕らの戦いに意味はあった。ただ意味もなく殺し、快楽を覚えるだけでも、言われるがまま、その意味を考えずに剣を振るう人斬りとは違う。

僕らが歩んできた道のりを否定はさせない。

「頑固な奴ぜよ！　認めれば楽になるに！」

「あなたこそしつこいですよ！　僕は違う！　僕たちは人斬りじゃない！　僕たちは新選組……そして僕は、一番隊組長、沖田総司です！」

「そうか？　ワシは人斬りじゃ！　人斬り以蔵じゃ！　ワシはこの名に誇りをもっちょる！」

「そんな誇り！」

認めない。絶対に認められない。

人斬りであることが誇りなんて、そんなふざけたことは認めない。僕らはただ、僕たちはただ、強くなるために、強い人たちと戦いたかっただけだ。

人斬りそのものを楽しんだことなんて一度もない。僕たちが熱を持つのは、お互いの剣技を競い合い、焚きつけ合う男同士の戦いだ！

断じて、意味のない人斬りじゃない。

「岡田以蔵さん。僕はあなたを、あなたの考えを否定します」

「ワシはおまんを信じちょるぞ！　沖田総司！　おまんなら、ワシをもっと楽しませてくれるじゃろ！」

僕は認めない。認めたくないのに、この戦いを楽しいと感じている自分がいる。

前世でも中々なかった。僕の命に届くかもしれない刃を前にして、僕の中にいる剣の鬼が歓喜している。

認めるな。僕は人斬りなんかじゃ――

無自覚に、笑顔が漏れてしまう。

そんな時ふと、彼女の姿が視界に映った。重傷を負い、今もなお、苦しみながら生きている。

その命がいつまで続くのかわからない。あと数秒後には耐えきれず、命を落とすかもしれない。それでもまだ、生きている。

「すぅ――」

冷静になるんだ。

この戦いには意味がある。彼女の安全を確保し、確実に治療できる場所へと送り届ける。そのためだったじゃないか。

仮に僕が戦いを求めたとしても、それだけじゃない。僕は彼女を死なせたくなかった。戦場に関わらせたくなかった。

だから――

「すみません。もう終わりにしましょう」

「なっ、が……」

それはすでに岡田以蔵の胸を、僕の刃が貫いた後だった。無明剣……無心。術式など使わずとも、殺気と気配を消すことくらいなら……。

「僕にもできます。あなたほど完璧ではありませんが」

「わ、ワシが気づけんとは……」

「あなたはとても強いですよ。だから、戦えたことには感謝しています。それでも僕は……」

「……っ、甘い男ぜよ！」

「――っ!」

岡田以蔵は大量吐血しながら、構わず剣を振るった。すでに勝敗はついたと思っていた僕は、回避が遅れて斬撃を受ける。

踏み込みは浅く、斬れたのは胸元の表面だけだけど。

「――まだ!」

「終わってないぜよ! この程度で勝った気でいるがか? 戦いは、どっちかが死ぬまで終わらんぜよ!」

久々に感じる痛みに胸を押さえる。わずか一瞬の遅れが、剣士同士の戦いでは死に直結する。

この間合い、この間隔では完全な回避はできない。刀で受けることすら間に合いそうにない。

なら左腕を犠牲にするしかない。左腕で受け止めて、その隙に右手で刀を振るい、彼の腕ごと両断する。

命に比べたら、片腕なんて安いものだ。

「その眼じゃ! もっとワシを楽しませてくれ! ワシの命に、おまんの刃を届かせて――」

「……あなたは――」

「伏せろ！　総司！」

「――！」

声が響き、言われた通りに身をかがめる。直後、銃声が鳴り響いた。それとほぼ同時に、血しぶきが舞う。

「がっ……」

放たれた銃弾は、岡田以蔵の側頭部に当たり、頭を貫通していった。彼は振り下ろそうとしていた剣を手放す。

ふらつきながら、銃声がした方向へと視線を向ける。僕も同じように。

「土方さん……」

「ひじかた……歳三《としぞう》？」

「――！　お前、俺の名を知って……」

「新選組の鬼……ああ、しまったぜよ。おまんとも……やってみたかったのに……」

岡田以蔵は笑みを浮かべながら、白目をむいて倒れていく。

「ここまでじゃ……な……」

そのまま地面に仰向けになって倒れ、二度と焦点が合うことはなかった。数秒、僕は彼の死体を眺めていた。

「総司」

「土方さん……」

「話は後だ。そいつを連れて離脱するぞ」

「……はい」

僕は刀を鞘《さや》に納めて、急いでレーナの下に駆け付ける。

よかった。苦しそうだけど、まだ呼吸はしている。血止め薬の効果で、腹部の出血もかなり抑えられていた。

「すみません……帰りましょう」

こうして、この世界での初めての戦は、後味の悪い余韻だけを残し、勝敗すらわからぬままに幕を閉じた。

第六章　幕末の暴君

学園が管理する病院がある。最高の医師と、設備が揃っている。病室のベッドで、レーナが眠っていた。

僕は彼女のベッドの隣に腰を下ろし、眠る彼女を見ている。

治療はギリギリ間に合ってくれた。彼女の生命力の高さと、我慢強さのおかげだとお医者さんは言っていた。

あと少しでも遅れていれば、彼女が我慢できずに諦めていれば、もうこの世にはいなかっただろう、と。

「すみません……レーナ」

畢竟《ひっきょう》、あの戦いで僕は何もできなかった。土方《ひじかた》さんと共に戦うことはおろか、僕のことを心配してくれた彼女を巻き込んで、あまつさえ生死を彷徨《さまよ》わせた。

「……最低だ」

岡田以蔵《おかだいぞう》に言われた通り、最初の段階で離脱を選択していれば、もっと苦しまずに済んだかもしれない。

そんな選択肢すら浮かばなかった僕は、彼の言う通り……。

「人斬り……」

なのだろうか？

「う……ソウジ？」

「レーナ！　よかった。眼が覚めたんですね」

彼女の声がして、目を覚ましたことに気づいたことで、直前まで悩み不安だった気持ちが少し薄れた。

ベッドから上体を起こそうとする彼女を支える。

「ここは……？」

「学園の病院ですよ」

「……病院？　あたし、生きてるんだな」

「はい。生きていますよ。ちゃんと」

彼女を支えている僕の手を、彼女は確かめるように握る。弱くて柔らかい……女の子の手、だけど、剣士の手。

「ごめんな、ソウジ」

「え？」

「あたしが油断したから……迷惑かけたよな」

「違います！　レーナのせいじゃありません。悪いのは全部僕なんです。レーナは僕を止めようとしてくれていたのに」

あの日、僕は彼女の制止を無視して戦場へ突き進もうとした。僕から離れて、僕を見失えば、彼女に危険はないと思い込んでいた。

その思い込みが、彼女に傷を負わせてしまった。悪いのは僕で、彼女じゃない。

「すみませんでした。本当に……」

「リクル……なぁ、あの後はどうなったんだ？」

「話しますよ。横になってください」

まだ起き上がると苦しそうなのは表情でわかった。それでも起き上がったのは、僕を安心させるためだったかもしれない。

あれから、土方さんと一緒に戦場を離脱して、学園に戻った。

土方さんの話によれば、今回の作戦は失敗に終わったらしい。どうやら掴んだ情報は古く、あえて掴ませた囮《おとり》の情報だったらしい。

人斬り集団アナトスの主要メンバーは、幹部の一人である岡田以蔵を残し、そのほとんどが撤退した後だった。

残っていたアナトスの構成員は、土方さんが率いる騎士団の部隊で応戦し、十分も経たずに戦いは終わったそうだ。

土方さんが駆けつけてくれたのは、長年の戦闘経験と剣士としての感覚で、僕たちが戦っていることを察してくれたからだった。

もしも土方さんが間に合っていなければ、僕も無事ではすまなかっただろう。

「そうか……やっぱり、怒られたか？」

「……いえ、それがまだ」

土方さんとはあれ以来、面と向かって話ができていなかった。大規模な作戦が失敗に終わったことで、その処理に追われているらしい。

忙しそうにしていて、僕に構っている余裕はなさそうだった。

今はそれが、少し寂しい。

「あいつ……あの剣士には、勝ったんだな」

「……どうでしょう。とどめを刺したのは僕の剣じゃなくて、土方さんの銃でしたから」

「でも、斬り合いには勝ったんだろ？　じゃあ、リクルの勝ちだ」

「そう……ですね」

勝敗なんて、もうどうでもよかった。それよりも僕は、岡田以蔵に言われた言葉が頭から離れない。

「……なんで」

「え？」

「勝ったのに、生きてるのに……なんでお前、そんなに辛そうなんだよ」

「レーナ……」

不安そうに、彼女はベッドの上で横になりながら僕のことを見ていた。視線が合い、僕は目を逸らしてしまう。

「すみません」

「……何かあったんだよな？　教えてくれよ。友達が困ってるなら、放っておけないからさ」

彼女は笑顔をこぼす。無理をしているのは明白だ。命に別状はないとはいえ、腹部を貫かれた傷は癒えていない。

痛いはずだ。苦しいはずだ。それでも、彼女は笑ってくれた。

「……僕は、人斬りなのかもしれません」

「え？　なんで、だ？」

「岡田以蔵に、彼に言われたことが、そのまま当てはまるんです。僕はあの時……彼との戦いに夢中になっていました」

守らなければならない存在を、レーナのことすら忘れていた。ただ、目の前の強者に夢中になって、どうやって勝つかを考えて。

「最低ですよね。僕のせいで傷つけた。レーナが我慢してくれなければ、僕のせいで君は……」

命を落としていたかもしれない。仲間が、友達が死ぬのは一番怖い。そう思っているはずなのに……。

「なんだ……そんなことで悩んでたのかよ」

「レーナ？」

彼女は呆れたようにため息をこぼした。それから安心したように、無理しながらも優しく微笑みながら言う。

「大丈夫だぞ。お前は、人斬りなんかじゃないから」

「――！」

それは僕が今、一番言ってほしい言葉だった。

「でも、僕は……」

「だってお前、ちゃんと怒ってくれただろ？」

「え？」

「あたしが刺された時、お前の顔が見えたんだ」

レーナはあの日のことを思い返すように、病室の天井を眺めながら続ける。

「お前、怒ってた。すっごい怖い顔、初めて見たぞ」

「……そう、だったんですね。自分では気づきませんでした」

そうか、僕はあの時……そんな顔をしていたのか。

「こんなこと言うの、変かもだけどさ？　嬉しかったぜ。あたしのために怒ってくれてるってわかって」

「レーナ……」

「お前は人斬りなんかじゃないぞ。人斬りは、誰かが傷ついた時に怒ったりしないだろ？　お前はちゃんと怒ってくれた。そんな優しい奴が、人斬りなわけないじゃんか！」

「――!」

彼女は笑う。痛みに、苦しみに耐えながら、偽りなくまっすぐに、僕の顔を見ながら笑ってくれた。

彼女の言葉は温かくて、冷え切っていた僕の心にそっと寄り添い、静かに温めてくれている。

僕の心には冷たい剣の鬼が住んでいる。彼女はそれすらもまとめて、一緒に温めてくれそうだ。

「ありがとう……ございます」

「ちょっ、なんで泣いてるんだよ。らしくないぞ」

「そう、かもしれませんね」

「ったく、お前って時々大人っぽいけどさ? やっぱり子供っぽいよ」

彼女は手を伸ばし、泣いている僕の頭を優しく撫でてくれた。両親と早くに別れ、近藤《こんどう》さんが親代わりだった僕にとって、誰かに頭を撫でられるというのは……すごく落ち着くんだ。

僕はここにいてもいいのだと。人斬りでもなければ、怪物でもない。一人の人間として認めてもらえるような感覚だった。

彼女の言葉が、笑顔が、優しい手が、冷たく沈みかけていた僕を、人間に戻してくれた。

それからしばらくして、彼女は再び眠りについた。まだ完全に傷も治っていないし、無理をしていたのだろう。

「ゆっくり休んでくださいね」

そしてまた、元気で素敵な笑顔を僕に見せてほしい。なんて、恥ずかしくて直接は言えないいな。

トントントン、と、ドアをノックする音が聞こえた。

「はい」

「総司《そうじ》か？」

「──土方さん？」

「入るぞ」

病室の扉を開けて、土方さんがやってくる。あの戦いから三日後、久しぶりに顔を合わせた。

「土方さん……」

「その様子だと反省はしているな？」

「はい。すみませんでした」

「……はぁ、反省してるならいい」

僕は少し驚く。もっと盛大に怒られると思っていたのに、妙にあっさりしていたから。そう感じたことを、僕の表情から土方さんは読み取ったようだ。

「ここは病院だからな」

「……そうですね」

場所に救われたみたいだ。もしもここが病室でなければ、拳骨でもすまされなかったかもしれない。

「とにかく、無事でよかったな。二人とも」

「はい」

あの時、土方さんが間に合っていなければ、僕も彼女もここにいなかったかもしれない。改めて、自分の行動を反省する。

「本当にすみませんでした」

「その謝罪は警告を無視したことか？　それとも、最後の詰めを誤ったことか？」

「両方、ですね」

「ったく、戦うならちゃんと最後までやりきれ。お前らしくないぞ」

「……はい。すみません」

岡田以蔵の言葉に心を乱されて、あの時の僕は動揺していた。戦いに情けは必要ないと知っていたのに、人斬りではないと主張するために、とどめを刺さなかった。

あの瞬間、僕は剣士としても未熟者になっていた。

「捕らえたアナトスの構成員から、奴らの本来のアジトの目星がついた」

「そうなんですか？」

「ああ。奴らも完璧に備えていたわけじゃなかったらしい。そう遠く離れていない場所に潜んでいる。改めて俺たちは、奴らのアジトに乗り込む。決行は明日の早朝だ」

「……そうですか」

あえて僕に教えてくれたのは、もう勝手なことをするな、という釘刺しだろう。

僕は土方さんにも迷惑をかけた。手助けするどころか、僕のほうが助けられてしまった。情けなくて腹立たしい。

こんな僕が戦場に行っても、きっと邪魔になるだろう。わかっている。それでも……僕は結局……。

「総司、お前も参加しろ」

「……え？」

「聞こえなかったか？　特別に許可を出してやる。お前も、今回の作戦には参加しろと言っているんだ」

数秒、言葉の意味を考えて固まる。

「ど、どうしてですか？」

「なめるな。何年の付き合いだと思ってんだ？　反省してもお前なら勝手についてくるだろ？」

「――それは……そうかも、しれませんね」

土方さんが戦場に行く。どんな理由があれ、それを知っているのにじっとしていることは、僕にはできそうにない。

反省はしている。失敗したことも理解している。それでも結局は、身体が勝手に動いてしまう気がした。

「また無茶されたら困るからな。だったら俺の眼の届く範囲で暴れろ。それなら変わらねぇ、いつも通りだ」

「土方さん……」

「ただし、特例だ。俺の指示にはきっちり従ってもらう。いいか？　勝手に死ぬなんてことは許さねーぞ？」

「……はい」

これは、土方さんなりの優しさなのだろう。僕の気持ちを、我儘《わがまま》を汲んでくれたこと、一緒に戦えることの嬉しさがこみ上げる。

「お前に死んでほしくない。俺がそう思ってること、忘れるなよ」

「はい……わかりました」

僕は自分の心の弱さを自覚する。

今も昔も、僕はいつだって、誰かの言葉に、想いに支えられている。きっと彼らの存在が、僕を人斬りじゃなく、一人の人間にしてくれているのだろう。

◇◇◇

人斬り集団アナトスのアジトに向けて、王国騎士団、魔術師団の合同部隊が再編制された。

指揮官は一度目の作戦と同様、土方さんが騎士団の大部分を指揮する。僕は土方さん直下の部隊に配備された。

本来、学生でしかない僕がこの戦闘に参加することは異例中の異例である。

「もう一度言っとくが、勝手な行動はするなよ？　結構無理言ってお前を入れるように進言したんだからな？」

「はい。ありがとうございます」

「……本当にわかってるんだろうな？」

「もちろんですよ」

二度も土方さんに迷惑をかけるわけにはいかない。さすがに二度目は、病院であっても怒られそうだ。

「嬉しそうな顔しやがって」

「え？　そんな顔していましたか？」

「してるぞ。今から戦場に向かうって時に、のんきに笑いやがって」

「すみません。でも、嬉しいんです。こうして土方さんとまた、一緒に戦えると思うと、つい……」

前世では病で戦線を離脱し、戦うみんなを見送ることしかできなかった。今はもう、あの頃とは違う。

虚弱な肉体も、魔力という新しい力で補うことができる。それに、僕は一人じゃない。ここに彼女の意思もある。

「その刀、あの娘のだろ?」

「はい。レーナが貸してくれました」

僕の腰には二本の刀が差さっている。一つは僕のために彼女が作ってくれたもの。もう一つは、彼女が愛用している一振り。

僕は思い返す。ここに来る前のことを……。

◆◆◆

「次の戦闘、僕も参加することになりました」

「そうなのか。認めてもらえたんだな」

「はい」

「じゃあ、今度は止めなくてもよさそうだな」

ベッドで横になって彼女は笑う。多少痛みと苦しみが楽になったのか、起きている時間が長くなっていた。

それでもまだ辛そうだ。そんな身体を彼女は頑張って起こす。

「じっとしていたほうが！」

「大丈夫だ。えっと、あたしの刀とってくれない？」

「え、あ、はい」

僕は壁に立てかけられていた彼女の刀を手に取り、彼女に渡す。彼女は刀を受け取り、握りしめてから僕に向ける。

「これ、持ってけよ」

「え？」

「お守りだぞ。あげるんじゃない。ちゃんと無事に戻ってきて、あたしに返してくれよな」

「――はい」

僕は彼女から刀を受け取った。刀は所詮、人を斬るための道具でしかない。それでもこの瞬間は、人と人とを繋ぐ力を感じた。

◆◆◆

「彼女と約束しました。必ず生きて帰るって。だから安心してくださいい、土方さん。

僕は死ぬつもりなんてありません」

「……そうか。ならいい。気合入れろよ。もうそろそろだ」

「はい」

僕らは急ぎ足で、大部隊を引き連れてアジトがある地点に向かう。今回も山岳地帯の奥地だった。

周囲を山々と森に囲まれた地形は隠れやすく、そして迎撃しやすい。今度は逃げられぬよう、部隊を四方向に分けて進めている。

その中で、僕らは敵陣の背後を攻めこみ、彼らの頭を潰す役割を担う。

土方さんは部下の騎士と話をしている。

「よし、全軍配置についたな。各地の状況は？」

「報告ありました。未だ動きはない模様です。おそらく気づいていないのではないかと」

「──いいえ、気づかれていますね」

「え？」

「ああ、間違いないな。この剣気……ビンビン伝わってくるぜ」

僕と土方さんは感じていた。彼らのアジトの方向から漂うただならぬ剣士の気配を。相手はすでに臨戦態勢だと考えるべきだろう。

この攻め辛い地形を利用して、僕らを迎え撃つ気なのか。それとも、逃げるための手順が整うのを待っているのか。

どちらにしろ、長引くほどに相手側の準備は万全となり、僕ら側の被害は大きくなってしまう。

「このまま作戦を実行する！　各陣営に伝えろ！　俺たちは三方向の部隊が進軍後、戦場の後ろをつくぞ！」

「はっ！」

「土方さんも先陣に立つんですか？　指揮官ですよね？」

「だからこそだろ。指揮官が体張ってるほうが、味方の士気が上がるんだよ。それにな？　こんな剣気を浴びせられてるんだぞ？　滾《たぎ》らないわけあるか」

土方さんは笑みをこぼす。剣に生き、強さを求め続けた男の笑みを。僕はつられて笑ってしまう。

「なんだ。やっぱり土方さんは土方さんですね」

「当たり前だろ。人が簡単に変われるか。ただ立場が変わって、背負うもんが増えただけだ」

「そうみたいですね」

背中で感じている。騎士団の方々からの厚い信頼が、土方さんに向けられている ことに。新選組《しんせんぐみ》の鬼と恐れられていた頃とは違う。この感じる視線は……憧れに近い。そして、ついに作戦は開始される。

「いくぞ！　全軍進め！」

「おおおお！」

土方さん率いる騎士団の部隊が進軍する。すでに戦闘は開始され、アナトスの構成員と激しい戦闘を繰り広げていた。

刃が交わる音よりも、魔術の発動音のほうが多く聞こえる。この世界の人斬りは、剣だけではなく魔術まで使うのか。

「──！　新手だ！　後ろから別部隊が来てるぞ！」

「魔術師ども！　あっちを攻撃しろ！」

「おせぇよ」

「が……」

乱暴な指示を出していた男を、土方さんの刃が斬り裂く。土方さんの剣は、騎士団にいる鍛冶師に無理を言って作らせたお手製の刀だ。やっぱり、僕らの武器は刀が一番しっくりくる。

そして、いかに強力な魔術師といえど、懐に潜り込まれるともろい。土方さんが指示した戦術は、敵味方をあえて入り乱れさせて、魔術の発動を制限すること。

狙い通り、敵の指示系統はめちゃくちゃになり、魔術師たちも味方を巻き込む恐れがあるため、派手な攻撃は使えなくなっていた。

「ひるむな！　魔術師は後回しでいい！　先に前衛を斬れ！」

「すごいな。土方さんは」

僕が知らぬ間に、指揮官として成長している。がむしゃらに剣を振るっていた頃と比べると、まるで別人のようだ。

そうだ。土方さんは戦い続けていたんだ。激化する戦場で、剣だけでは勝てない戦いにも挑み、戦術を組み立て戦っていた。

前世での経験が、今世でも活かされている。土方さんには、味方を指揮する才能があったのだろう。

それが、土方さんの術式にも反映されている。

「な、なんだこいつら……一向に勢いが収まらねぇ」

「騎士団ってこんなに強いのか！　全員化け物みたいに……」

「敵がビビり始めたぞ。こっちは臆さず攻めろ！」

「おおお！」

土方さんの声に、味方の士気が向上する。

術式名『軍揮』、土方さんは一定領域内における味方の指揮を向上させ、身体能力や魔力など、あらゆる能力を一時的に向上させることができる。

効果範囲は、土方さんが認識し、皆が土方さんを認識できる広さ。彼の声が届き、姿が見え、存在を感じている者には恩恵が得られる。

土方さんの存在そのものが、味方の指揮を向上させている。その効果は、一緒に戦っている僕にも表れていた。

「こ、こいつ！　ガキの癖に！」

「すみません。中身は子供じゃありませんから」

普段よりも身体が軽い。土方さんの術式効果で、僕の虚弱体質が改善している。

これなら普段以上の動きにも耐えられるし、無限に戦い続けられそうだ。

「相変わらず速いな、総司」

「土方さんも、腕を上げましたね」

「はっ、上から目線だな」

「隊長！」

戦闘中、一人の騎士が僕たちの下へ駆けてくる。

「報告がございます！　この先の部屋に、指揮官らしき男を発見したとのことです！」

「よくやった！　お前たちはこのまま戦闘を続け、各部隊を掩護《えんご》しろ！　総司、行くぞ」

「はい」

「指揮官は俺たちでやる」

僕も、土方さんも気づいていた。この先にいる人物こそが、戦場に立ち込める異常な剣気の中心であることに。

これほどの剣気を感じたのは今までに一度も……いいや、僕は一人だけ知っている。戦場の全てを呑み込むほどの剣気を放つ怪物を。

同志でありながら敵対し、僕がこの手で殺《あや》めた人物を頭に浮かべる。

「まさか……」

ふと、予感があった。

僕らはたどり着く。先行して見つけた騎士たちの亡骸《なきがら》を踏みつけて、その男は堂々と立っていた。

青いだんだら模様の羽織を肩にかけて――

あの模様、あの羽織、僕らが見間違えるはずがなかった。あれは僕らの、新選組の象徴であり、仲間の証でもあった。

「ん？　おう、やっと骨のありそうなやつが来やがったかぁ？　こんな雑魚どもをいくら斬っても退屈は紛れねぇよなー」

「お前は……」

「――！　この感じ、懐かしいじゃねぇかよ」

土方さんは驚愕し、男は僕たちを見てニヤリと笑みを浮かべた。僕らはすでに気づいていた。

顔も、声も、立場も違う。それでも、お互いの魂が感じ取っていた。名乗る必要すらなかった。僕らは再び出会う。

「まさか……ここまで来てお前と顔を合わせるとはな」

「お久しぶりですね？　芹沢鴨《せりざわかも》さん」

「トシ！　総司！　やっと会えたな馬鹿野郎！　待ちくたびれたぜぇ」

僕らは全員、笑みをこぼした。再会を喜ぶ気持ち……ではない。異なる世界に生まれ変わってなお、こうして敵として相対するという運命。笑わずにはいられない。

「騎士団に骨のあるやつがいるって話だったが、やっぱお前らだったか」

「人斬り集団……岡田以蔵が所属していた時点で察してはいたが、まさか鴨、お前が頭だったとはな」

「以蔵を斬ったのはお前か？　トシ」

「いいや、俺じゃない。総司だ」

土方さんの言葉を聞いて、彼は殺気のこもった笑みを僕に向ける。久しぶりに、背筋が凍るような感覚に襲われる。

「あれに勝ったか。相変わらず、腕は落ちてねーみたいだな、総司！」

「はい。とどめは残念ながら僕じゃないですが。強いですよ。この世界の僕も」

「そいつは嬉しいなぁ！　お前との斬り合いは格別だったぜぇ……なぁ、総司。お前も覚えてるだろ？」

「もちろんですよ。忘れたことなんて一度もありません」

新選組初代筆頭局長、芹沢鴨。壬生浪士組《みぶろうしぐみ》の頃から、僕らと行動を共にしていた仲間であり、後の新選組を引っ張った人物だ。

性格は破天荒で傍若無人。酒癖も悪くて、やりたい放題していたから、仲間たちからは嫌われていた。

けれど、ただの乱暴者ではなかったことを誰もが知っている。彼は強さを求めていた。おそらくは、僕や土方さん以上に、純粋に。

武士としてどう生き、どう死ぬかを常に考えているような人だった。

それ故に、あまりの傍若無人さに手を焼いたことで、上から暗殺命令が下ってしまった。実行したのは僕を含む精鋭。

芹沢鴨が待つ部屋に、最初にたどり着いたのは僕だった。繰り広げられた死闘で負傷しながらも、僕は彼を……斬った。

忘れるはずがない。嫌いだったけど、最期の瞬間に分かり合えた人。確かに性格は無茶苦茶だったけど、彼がいたから新選組は生まれた。

その強さも、強さを求め続ける意思も、僕たちはとっくに認めていた。

「土方さん、ここは僕に任せてもらえませんか？」

「総司、お前」

「すみません。この人とは、僕が一人で戦いたいんです」

芹沢鴨はニヤリと笑みを浮かべる。きっと、彼も同じ気持ちのはずだ。僕たちの想いをくみ取り、土方さんは目を伏せる。

「仕方ねぇな。今回もお前に譲ってやる」

「ありがとうございます」

「勝てよ」

「はい」

土方さんは武器を納める。そして意図的に、術式対象から僕を外してくれた。一人で戦いたいという意思、それは誰の助力もない状態。

これは戦争じゃない。剣士と剣士の、決闘だ。

「お待たせしました。始めましょうか」

「いいねぇ。やっぱお前らは最高だ」

芹沢鴨は笑みを浮かべ、死体に突き刺していた剣を抜く。形状は異なるけど、やっぱり彼も僕らと同じように刀を使っていた。

時代が流れ、世界が移り変わっても、僕らの魂はここにある。

「あの日の雪辱……いいや、続きをやろうぜ！　総司」

「はい。お願いします」

僕らは互いに切っ先を向ける。ここにはなんの策略もなく、恨みもなく、怒りもなく、ただ純粋に、一人の剣士として立っている。

あの日もそうだった。下された命《めい》は暗殺。けれど僕は、僕たちは、真正面から芹沢鴨に挑んだ。

「あの日より、僕は強くなりましたよ」

「んなもん当たり前だろうが！　全力で来やがれ！　でなきゃ、楽しめねぇーからなぁ！」

先に動いたのは芹沢鴨。彼の歩法はすでに神速の域に達していてる。間合いをあっという間に詰められ、豪快に、乱暴に刃を振り下ろす。

この人の怖いところは、一見して乱暴で型がないように見えて、ちゃんと基本の型は抑えていること。

神道無念流《しんとうむねんりゅう》の免許皆伝。類まれなる剣の才能を持ち、完璧に流派の型を身に着けた上での、文字通り型破りな戦い方をする。

大柄な体格から生まれる筋力と、巨体に似合わぬ素早さを兼ね備え、並の剣士には剣を抜く暇すら与えない。

もっとも、僕には関係ないことだ。

「速さで僕には勝てませんよ」

「知ってるぜ！　お前がすばしっこいことはなぁ！」

初撃を躱《かわ》し、横に移動して空いた胴へ刀を振るう。しかし脇差を抜かれて、刃は防がれた。

そのまま切り払い、脇差を避《よ》けようとするが、それよりも速く初撃を振り下ろした刃が地面を跳ねて返ってくる。

「──っ！」

「よく躱したじゃねーか！」

首を狙って戻って来た刃を身体を逸らして回避し、体勢が不十分のまま刀を斜め上から振るい牽制、芹沢鴨の次手を止める。

「止まって見えましたよ？」

「言うな。が、それでこそ、俺が求めてた戦いだ！」

芹沢鴨は止まらない。すぐに間合いをつめ、一切の躊躇《ちゅうちょ》なく斬り下ろす。この人の一番怖いところは、剣技よりもこの姿勢だ。

己の生死などまったく考えていない。ただ、純粋に強者との戦いを楽しんでいる。

その上で、満足して死ぬことを望んだ人だ。

「楽しいな、総司！　お前もそうだろ？」

「──！」

また、無意識に僕は笑みをこぼしていた。岡田以蔵が残した呪いの言葉が脳裏をよぎり、剣先が乱れる。

「総司！」

「――！」

一瞬、油断した僕の頰を芹沢鴨の刃がかすった。土方さんの声がなければ、そのまま顔半分を斬られていたかもしれない。

僕は頰から流れる血を拭う。

「おいおい、なんだ急に腑抜けたな」

「……芹沢さんは、どうして人斬りをしているんですか？」

「あ？　んなもん、ただの成り行きだ」

「成り行き？」

「俺のやりたいことは変わってねぇよ！　強い奴と戦いたい。戦って、強さを示して、満たされて死ぬんだよ」

前世でも、彼の口から同じ言葉を聞いた。彼は生きるために剣を振るっていなかった。自分が死ぬべき場所を、相応《ふさわ》しい戦いを求めていた。

強者であり続け、より強い者を求め続けて、全てを出し切り満足して死んでいく。

そうして彼が選んだのは、僕との死闘だった。

「人斬り？　そんなもん、勝手に呼ばせとけ！　俺は俺のやりたいように生きてんだよ。邪魔もさせねぇ、理解も必要ねぇ！　忘れたか、総司。俺らの魂は、ここにあるんだよ！」

「――！」

芹沢鴨は己の刃を胸の前にかざす。

僕たちの、武士の魂は刃に宿っている。今も昔も、世界が違おうと変わらない。僕らの生き様は、生きる道は最初から決まっている。

――ああ、そうか。そうだった。

僕は刀を構える。包み隠さず、本音の笑みをこぼして。

「ありがとうございます。芹沢鴨さん、おかげでスッキリしました」

「はっ！　水くせぇこというなよ！　殺し合った仲だろう？」

「はい、そうですね」

ぐだぐだと、らしくないことばかり悩んでいた。けれど、悩む必要なんてどこにもなかったんだ。

僕は僕だ。試衛館《しえいかん》道場出身、新選組一番隊組長、沖田《おきた》総司の魂は変わらず、ここに宿っている。

人斬りがどうとか、そんなことはどうでもよかった。

自分がなんのために戦うのか。なんのために剣を振るうのか。その答えはとっくの昔に出ていたんだ。

「楽しもうぜ、最高の時間を！」

「はい。楽しみましょう」

僕らは刃を交える。

かつての死闘を思い返し、あの時の高揚感を思い出すように。ようやく、僕の中に巣くう鬼が顔を出す。

戦いを求め、強者との戦いを楽しむ心。奥底にしまっていても、強い人と戦えば、嫌でも顔を出してしまう、僕の本能。

隠すことはできない。否定することはできない。そうだ。僕はあの時、芹沢鴨との戦いで認めたはずだ。

僕の心には鬼が住む。戦いを求め楽しむことを止められない。子供みたいに純粋な剣の鬼がいる。

芹沢鴨の中にも、僕と同じ鬼が住んでいる。いいや、僕らだけじゃない。土方さんの胸の中にも……。

「羨ましいか！　トシ！」

「……はっ！　わかりきったこと聞くんじゃねーよ。見せつけやがって」

「かっ！　そいつは悪かったなぁ！」

「すみません土方さん。でも、この戦いだけは誰にも譲れません」

この世界でも、芹沢鴨を斬るのは僕でありたい。彼を高揚させ、満足させる剣は僕の剣だと主張する。

平晴眼《ひらせいがん》。天然理心流《てんねんりしんりゅう》、その必殺の構えから、かつて彼を殺した奥義を繰り出す。

天下無敵、回避は不可能の三段突き。

「——無明剣《むみょうけん》！」

「懐かしい技だなぁ！」

「——!?」

届かなかった。否、回避された。ほぼ同時に放たれる三段突きを、あの頃よりも格段に速くなった奥義を。

この男は、いとも簡単に破って見せた。

「最高だなぁ、総司！」

「そうですね」

悔しさ以上に嬉しさを感じる。これほどまでに胸躍る戦いは久しぶりだ。

これこそ戦い。僕らが生き抜いてきた戦場はここにある。正真正銘、命の奪い合いの中でこそ、僕らは生を実感する。

「もっと魅せてみろ！　あの頃よりも強いんだろ？　もっとあるだろ！　お前の全部をさらけ出せぇ！」

「――はい。あなたになら、魅せてもいい」

構えは変わらない。天然理心流の基本、平晴眼。ただし、無明剣は回避されてしまった。三段では足りない。

ならば数を増やし、四段、五段としていくか？

否、それでは必殺にならない。この世界に魔力があり、肉体の限界を軽々と超えられる。ならば僕も、限界を超えよう。

この身に宿る魔力の全てを纏《まと》い、身体能力を極限まで向上させる。

「――来るか」

「無駄ですよ。次は躱せない」

次の瞬間、僕は駆け出す。芹沢鴨の正面に、一度目と同じように三段突きを繰り出す。しかしこれは回避される。

そう、一度ならば――

「こいつは――」

回数を増やすのではない。三段突きを増やせばいい。神速の歩法を用い、四方位からほぼ同時に、三段突きを繰り出す。

これこそ、この世界だからこそ完成した天然理心流の特技。

「――無明剣、四面」

「がっ……」

いかに優れた反応速度、反射神経を有していようとも、四方向から繰り出される回避不能の突き技のすべては躱せない。

どう受けるか。どう回避するか。思考の混乱を発生させ、その一瞬の隙に勝敗は決する。

芹沢鴨の胸を、僕の刃が貫いていた。あの時のように。

「――やっぱりお前は最高だなぁ、総司」

「――！　まさか……」

僕は咄嗟に刃を抜いて距離を取る。間違いなく致命傷のはずだ。心臓を貫いているのだから。しかし、芹沢鴨の剣気は消えていない。

貫かれた胸の傷が、一瞬にして再生している。

「この世界でも、俺を殺したのはお前が初めてだぜぇ」

「……ずるい人ですね。そんな力を手にしているなんて。反則じゃないですか？」

「かっ！　ここはそういう世界なんだよ。こいつも含めて強さだ。仏様はけち臭いと思っていたが、案外いい奴かもなぁ」

確かに刺した感触はある。流れた血も消えていない。幻ではなく、あれが芹沢鴨がこの世界で手に入れた術式なのだろう。

「この力がありゃ、強い奴と何度でも戦える。最高の気分を繰り返せるんだ。どうだ？　羨ましいかぁ？」

「……ええ、少し。でも、不死身ではありませんよね？」

あの芹沢鴨が、不死身なんてものを望むわけがない。そんな力を手にしていたら、歓喜ではなく落胆するだろう。

彼が求めているものは、今も昔も変わらず、最高の死に場所なのだから。

「正解だぜ。こいつは命の蓄積だからなぁ。斬った奴らから命をもらうんだ。消費したのは、今が初だぜ」

「そうですか」

少し嬉しかった。彼に剣を届かせた者は、この世界でも未だ僕だけだという事実が。笑みがこぼれる。

「さぁ、続きをしましょうか」

「そうだな。と言いたいところだが、今回はここまでだ」

「え？　どうしてですか？」

「時間切れだ」

突如、芹沢鴨の肉体が淡い光に包まれていく。僕より先に、土方さんが勘づく。

「転移の術式か。なるほど……逃げなかったのは必要がなかったからか」

「ああ、時間を稼げばそれで十分なんだよ」

「本当に、ずるい人ですね」

「悪いな、総司。詫びにこれをくれてやる」

芹沢鴨は乱暴に投げる。僕らの象徴、仲間の証。世界を越えて受け継がれるだんだら模様の羽織を。

「これ、あなたが作ったんですか？」

「おう、新選組、俺らの御旗にそれ以上のもんがあるか？」

「……そうですね」

この羽織を見ていると思い出す。あの頃のことを。

「次に会う時は、もっと頭数を揃えてこいよ。お前との戦いも楽しいがな。俺が本当に戦いたいのは、お前だけじゃねぇ」

「それは……」

「わかるだろ？　あの日の続きなんだ。俺が戦いたいのは、お前たちの新選組！　お前たちの最強だ！」

「――！」

芹沢鴨は僕らに向かって拳を突き立てる。

僕たちの新選組、僕たちの最強。彼が求めているのは、かつて共に戦い、志を一つにした仲間たちの存在。

土方さんが呆れながら彼に言う。

「この世界で、新選組を作ろうっていう気か？」

「形や名前なんざ気にしねぇ。俺が待ってんのは最強のお前らだ。だがな。断言できるぜ？　お前らにとっての最強は新選組なんだよ。わかってんだろ？　トシ」

「……そうだな。わかってるよ、そんなこと」

「土方さん……」

以前、土方さんは僕の考えを否定した。この世界で新選組を集めることを。でもそれは、心からの否定ではなかったらしい。

「トシ、総司！　お前らの新選組を、最強を作り上げろ。俺はこっちで、俺が思う最強の新選組を作る」

「鴨、お前は……」

「俺の最強と、お前らの最強、どっちが本物の最強か、決めようぜ」

「――ったく、子供みたいなこと言いやがって。だが、最高にお前らしいぜ」

「そうですね。それでこそ、芹沢鴨です」

「かっ！　わかってんじゃねーか！　やっぱお前らは最高だなぁ」

彼は歓喜する。転移の術式が発動し、姿が光に包まれて消えていこうとしていた。

「なぁトシ、総司、この世界はいいぜ。戦う理由なんざいくらでも作れる。どこもかしこも強さに溢れてる。俺らにピッタリだと思わねぇか？」

「そうかもな」

「はい」

「俺は感謝してるぜ。この世界に生まれ変わらせてくれたことに！　そんでまた、お前らと会えたことにな！」

芹沢鴨は再び、僕らに向けて拳を向ける。

その拳に合わせるように、僕と土方さんも彼に向かって拳を突きだす。

「おう。俺もだ」

「また戦いましょう。次も負けません」

「かっ、楽しみにしてるぜ——」

芹沢鴨の気配が、剣気が、戦場から消えた。大きすぎる彼の熱に当てられていた僕らの魂は、未だ熱を帯びている。

「言いたいことだけ言って消えやがって」

「ははっ、そういうところも、あの人らしいじゃないですか」

「……まぁそうだな。ったく」

「土方さん？」

土方さんは呆れながら、自分の頭に手を当てている。

「まさか、あいつに気づかされるとはな……正直腹が立つ」

「子供みたいなこと言いますね」

「うるせぇ！　次戦う時は、今度は俺が相手になってやる」

「ダメですよ。次も僕からです」

「いいや、俺からだ！　文句があるなら、こいつで決着つけるか？」

「いいですね。望むところですよ」


この熱は永遠に、冷めることはないだろう。

エピローグ　僕たちの新選組

人斬り集団アナトスとの大規模戦闘終了後、僕は学園での生活に戻っていた。とはいえ、まったく平穏に戻ったわけじゃない。

僕は学生の身分でありながら、見習い騎士として土方《ひじかた》さんの直下の部隊に限定配属されることになった。

「ったく、鴨《かも》の野郎のせいで結局失敗に終わったな」

「そうですね」

二度目の大規模作戦、結果だけで言えば失敗だ。多数の構成員を殲滅《せんめつ》したものの、主犯格には逃げられてしまっている。

加えて今度は、どこへ逃げたかもわかっていない。

「その割に嬉しそうですね？　土方さん」

「どこがだ？　おかげで書類仕事に追われてんだぞ？　総司《そうじ》、お前も暇なら手伝おうとは思わねーのか？」

「僕は学生ですし、見習いですから。難しいことはわかりませんよ」

「調子のいいこと言いやがって」

土方さんは呆れて、僕は笑う。芹沢《せりざわ》鴨との戦闘をきっかけに、僕の中にくすぶっていた悩みは解消された。

いいや、解消されたというより、彼の刃に斬り裂かれてしまった感じだ。

「僕の本質は人斬りに近いのかもしれません。僕は……強い人と戦うのが楽しくて、他のことがどうでもよくなる時があります」

「総司……」

「それでも僕は人斬りじゃない。そう思うようにします。誰に何を言われても、僕がそう思い続ければいいのだとわかりました」

「……そうだな。それでいい」

僕は僕だ。何も変わらない。これから先もきっと……だから、悩む必要なんてないのだと、今は思えるようになった。

新選組《しんせんぐみ》きっての暴君、芹沢鴨。けれど彼は誰よりも剣を愛し、強さを愛し、人を愛していた。

そんな彼との戦いだから、彼の言葉だからこそ気づけたのかもしれない。

「俺たちの新選組……か」

「土方さん、僕はやっぱり新選組を作りたいです」

「総司……」

「でも、違うんです。みんなと一緒に戦いたかった。死に場所を探していた。その気持ちは確かに、僕の中にあります」

それでも、今は違うとハッキリ言える。死に場所は必ず、いつか必ずやってくるだろう。その瞬間に、満足できるように、今を全力で生きよう。

「今はただ、みんなに会いたいんです。会って、見てほしい。僕はこんなにも強くなったのだと。そして見せてほしいんです。みんなの強さを」

きっと、僕が知っている彼らなら、世界が違っても、立場が違っても、変わらず強さを求める大バカ者たちのままだと、信じている。

「俺は……あいつらにも自分の人生がある。そう思ってる」

「……」

「けどなぁ、総司。お前らのケンカを見せつけられたら、どうしようもなく血が騒いじまったんだ」

　土方さんは自らの手を震わせ、震えを止めるように拳を握る。その瞳は、横顔は笑っていた。

「隠しきれねーもんだなぁ。一度滾《たぎ》った血の感覚を思い出したら、もう止められねーんだよ」

「土方さん」

「俺もなぁ、総司。本当は探したんだよ。お前らのこと……俺がここにいるなら、他の奴らもってな」

「……そうだと思いましたよ」

　隠さず、忘れていけるはずがないんだ。僕らにとって新選組は、あの場所は、家族であり居場所だった。

　一瞬でも、思い出が過《よぎ》ってしまえば身体が勝手に動いてしまう。土方さんが仲間のことを本気で大切に思っていることを、僕は知っているから。

「俺も会いてぇよ、総司」

「はい」

「この世界で新選組を作る。意味のないことはするべきじゃねーと思っていたんだけどなぁ」

「意味、できちゃいましたね」

「ああ、あの大バカのおかげでな」

やれやれと呆れながら、土方さんも僕も嬉しくて笑みをこぼす。僕らには今、芹沢鴨さんとの約束がある。

「どっちの新選組が最強か？　んなもん、やる前から決まってんだろうが」

「ですね」

「最強は――」

「僕たちの新選組です」

迷うはずがない。僕も、土方さんも、他のみんなだって口を揃えて言うはずだ。

「でも、それじゃ昔と一緒ですからね」

「総司？」

「せっかく生まれ変わったんです。同じじゃなくて、もっと強い新選組を目指しましょう」

「――そうだな。目指すならより強い最強だ」

「はい。そのために――」

芹沢鴨を、もう一度僕たちの仲間に引き入れたい。

口には出さずとも、僕の意思は土方さんに伝わっているはずだ。最強の新選組を作るなら、あの人の強さも絶対にほしい。

あの頃とは立場も違う。しがらみを力で超えられるこの世界なら、馬鹿げた理想だって実現させられるかもしれない。

「あの馬鹿を口説き落とすのは骨が折れるぞ」

「大丈夫ですよ。僕らにはこれがあります」

僕は腰の二本の刀に触れる。言葉など必要ない。僕らはいつだって、剣で語り合い、分かり合っていた。

「ん？　そういやその刀……」

「──ソウジ！」

この世界でできた友人が、かつての名前を呼ぶ声が聞こえた。

「レーナ！」

そこには彼女の姿があった。学園の外を元気に走る彼女の姿を見て、ホッとすると同時に嬉しさを感じる。

「もういいんですか？」

「おう！　医者も驚異的な回復だって言ってたぜ！」

「そうですか。本当によかった」

彼女が怪我をしたのは僕の責任だ。無事に回復してくれたことを喜びながら、僕は腰の刀を抜き、彼女に返す。

「ありがとうございました」

「おう！　ちゃんと無事に戻って来たな！」

「……」

「ん？　どうかしたか？」

彼女を見つめて悩む僕の肩を、土方さんがポンと軽く触れた。振り向くと、土方さんは僕の心を見透かしたように呟く。

「最強の新選組ってことは、この世界での新しい新選組を、俺たちが作るってことだ。違うか？」

「土方さん……」

「いいんじゃねーか？　せっかく作るんだ。新しい新選組なら、新しい隊士を募集してもよ」

「――そうですね」

土方さんもずるい人だ。たった一言で、僕の悩みなんて吹き飛ばしてくれる。いいや、最初から悩む必要がないことだった。

感じたままに、思うままに突き進めばいい。あの頃の僕たちがそうだったように。

「レーナ、僕たちはここで、この世界で新選組を作ります」

「しんせんぐみ？」

「レーナも、僕たちの仲間になってくれませんか？　一緒に新選組として、最強を目指してください」

僕は右手を差し出す。彼女は純粋にこの世界の人間だ。新選組が何なのか、僕の言葉の意味は理解できないだろう。それでも彼女なら……。

「よくわかんねーな」

「……」

「けど！　最強を目指すってのはいいな！　あたしも混ぜてくれ！」

そう言ってくれると信じていた。彼女は迷うことなく豪快に、僕の右手を握ってくれた。

「ありがとうございます」

「気にすんなって！　友達だろ？」

みんなと再会したい理由が一つ増えた。この世界で初めてできた僕の友人を、みんなに紹介しよう。きっと仲良くなれる。家族のように。

あとがき

初めまして皆様、日之影ソラと申します。まずは本作を手に取ってくださった方々への感謝を申し上げます。

幕末最強の剣士と呼ばれた沖田総司が生まれ変わったのは剣と魔法の異世界。仲間と共に散れなかった無念を抱える沖田は、今度こそ仲間たちと同じ場所、同じ道を歩んで散ることを望み、再び刀を握る。

新たな出会い、そして再会と因縁が渦巻く中、人として、剣士として成長していく彼の物語は、いかがだったでしょうか？

少しでも面白い、続きが気になると思って頂けたなら幸いです。

私は幕末のお話が大好きで、その中でも新選組は特に好きです。近藤勇、土方歳三と並んで有名な沖田総司ですが、彼は最強の剣才を持ちながら、最期を迎えたのは戦場ではなく、病に倒れた床の上でした。

仲間たちが戦い、戦場で散りゆく中で一人、病と闘い死んでしまいます。その無念、悔しさを想像すると、たまらなく尊いと感じるのです。

これは考え方が分かれることですが、私は死に様にこそ、その人の人生が凝縮されると思っています。どうやって生きるかを探すお話よりも、どんな死に方を選ぶかを考え続ける物語のほうが惹かれてしまうんです。

そういう意味だと、ほのぼのと進むお話よりも、たくさんの命の終わりが描かれている作品のほうが好みで、書きたいなと思うことはあります。

本作を執筆する機会をいただいた皆様には、本当に感謝しかありません。

私が思い描く新選組、沖田総司の物語の第二幕を、ぜひぜひ堪能していただければと思います！

沖田総司も魅力的ですが、芹沢鴨や土方歳三の生き方、散り方にも注目してくださいませ！

最後に、素敵なイラストを描いてくださったコダケ先生を始め、書籍化作業に根気強く付き合ってくださった編集部のＫさん。本作に関わってくださった全ての方々に、今一度最上の感謝をお贈りいたします。

それでは機会があれば、また二巻のあとがきでお会いしましょう！

ＪノベルライトJN文庫

転生《てんせい》、沖田総司《おきたそうじ》
―新選組異聞録《しんせんぐみいぶんろく》―

2023年12月25日　初版第1刷発行

著　者　日之影《ひのかげ》ソラ
イラスト　コダケ
発行者　岩野裕一
発行所　株式会社実業之日本社
〒107-0062　東京都港区南青山6-6-22
emergence 2
電話（編集）03-6809-0473
（販売）03-6809-0495
実業之日本社ホームページ　https://www.j-n.co.jp/
印刷・製本　大日本印刷株式会社
装　丁　AFTERGLOW
DTP　ラッシュ

ISBN978-4-408-55859-2（第二漫画）